よくわかる社労士 合格テキスト

5 労働保険の保険料の徴収等に関する法律

社会保険労務士講座●編著

TAC出版
TAC PUBLISHING Group

はじめに

ここ最近の社労士試験の出題傾向をみてみると、選択式については、年度により難易度に変動はあるものの、「覚えた事柄から単純・反射的に選ぶ性質の問題」から「知識をフル活用して推測しつつ、選択語群の語句を消去法で絞り込まないと正解を選べない高度な問題」まで出題内容が多岐にわたっています。単にテキスト中の語句や数字等を記憶しているだけでは、すべての科目において基準点（３点）をクリアするための得点ができるとは言えない試験になってきているといえます。

また、択一式については、「組合せ問題」と「正解の個数問題」という出題形式は定着しており、とくに「正解の個数問題」については、１問にかける時間が長くなるため、非常に負荷が高くなっています。事例形式の問題も増え、「実務と直結した内容の出題を。」という意図も感じられるようになっています。

これらの傾向に対応するためには、素早く確実に出題の意図を読み取り判断していく能力が求められるので、基本事項の反復を徹底し、早い時期にそのレベルでの対策を仕上げておき、時間的に余裕をもって応用問題等の細かい知識の対応に時間を割けるようにしておくことが必要でしょう。

本書は、社労士試験に確実に合格するための「本格学習テキスト」というコンセプトをもっており、条文や通達、判例など、多くの情報を、社労士本試験問題を解く際に使いやすいよう、コンパクトにまとめています。

今回の改訂では、直近の法改正事項に対応するために本文内容の加筆・修正を行い、直近の本試験の出題傾向にも対応できるよう内容の見直しも行いました。

本書を利用したみなさんが、社労士試験に合格されることを、ＴＡＣ社会保険労務士講座一同、願ってやみません。

令和６年11月吉日

TAC社会保険労務士講座

法改正ポイント講義

ここでは、2025（令和7）年度の社労士本試験に関連する、主要な法改正内容を紹介していきます。まずは、法改正内容の概要をつかんでおきましょう。詳細は、テキスト本文でじっくり学習していきましょう。

1 特定フリーランス事業に係る第２種特別加入保険料率の設定

【令和６年11月１日施行】

特定フリーランス事業に係る第２種特別加入保険料率が「1,000分の３」と定められました。

第３章で学習します。

2 育児休業給付に係る雇用保険率の弾力的な調整の導入

【令和７年４月１日施行】

育児休業給付に係る雇用保険率を原則0.4％から0.5％へ引き上げつつ、保険財政の状況に応じて0.5％から0.4％への引下げを可能とする弾力的な仕組みが導入されました。これにより、当面（令和６年度まで）は当該雇用保険率を現行の0.4％に据え置きつつ、将来の保険財政悪化に備えて弾力的に調整することとされました。

第３章で学習します。

本試験の傾向

過去10年間の出題項目は、次のようになっています。★が選択式試験、☆が択一式試験となっています。

		H27	H28	H29	H30	R元	R2	R3	R4	R5	R6
趣旨等							☆				☆
保険関係の成立等		☆	☆	☆		☆		☆	☆		☆
保険関係の消滅		☆		☆		☆		☆			☆
有期事業の一括			☆					☆	☆		☆
請負事業の一括等		☆					☆				☆
継続事業の一括					☆		☆		☆	☆	
労働保険料						☆			☆		
一般保険料				☆	☆	☆	☆		☆	☆	☆
特別加入保険料							☆			☆	
印紙保険料											
概算保険料の申告・納付		☆		☆	☆	☆		☆	☆		
概算保険料の延納		☆		☆		☆	☆	☆		☆	
増加概算保険料等		☆		☆	☆		☆	☆	☆		
確定保険料の申告・納付		☆		☆	☆	☆		☆	☆	☆	☆
口座振替納付		☆			☆		☆	☆			☆
印紙保険料の納付等		☆	☆		☆		☆			☆	☆
特例納付保険料		☆						☆			
滞納に対する措置				☆		☆		☆	☆	☆	
継続事業（一括有期事業を含む）のメリット制			☆				☆		☆		
有期事業（一括有期事業を除く）のメリット制			☆						☆		
	委託事業主及び労働保険事務組合の認可		☆	☆		☆	☆	☆		☆	
労働保険事務組合	労働保険事務組合の責任等	☆		☆		☆		☆		☆	
	管轄の特例、届出及び報奨金		☆		☆	☆		☆			
労働保険料の負担						☆	☆			☆	
不服申立て			☆				☆				
時　効			☆				☆				☆
書類の保存等			☆			☆					☆
罰　則		☆				☆				☆	

本書の構成

本書は本試験で確実に合格できるだけの得点力を養うことに重点を置き、試験対策において必要とされる知識を整理、体系化して理解することができるよう構成しています。

囲み条文　選択式試験で狙われやすい条文等を囲んでいます。記載内容の重要度は★の数で表しており、★★★のものは、必ず確認しておきましょう。赤字は過去の本試験で論点となったキーワードや、これから出題が予想される重要語句です。それ以外の重要語句は黒太字にしています。

重要度

A、B、Cの３段階です。

A　試験頻出・改正点等の重要事項。必ずおさえる。

B　頻出箇所ではないが、おさえておきたい。合否の分かれ目。

C　A、Bを優先とし、余裕があれば、見ておく。

第２章 第２節　保険関係の一括

3 請負事業の一括等

❶ 請負事業の一括の要件及び効果

(法8条1項、則7条) 重要度 A

★★★

厚生労働省令で定める**事業**（労災保険に係る**保険関係**が**成立**している**事業**のうち**建設の事業**）が**数次の請負**によって行なわれる場合には、徴収法の規定の適用については、**その事業を一の事業**とみなし、**元請負人のみを当該事業の事業主**とする。R2-災8A

概要

次の要件を満たす場合には、**法律上当然**に請負事業の一括が行われる。R2-災8B

(1)　労災保険に係る保険関係が成立している事業のうち建設**の事業**であること。R2-災8A

(2)　数次の請負によって行われること。

Check Point!

□ 一括されるのは労災保険に係る保険関係であって、雇用保険に係る保険関係が一括されるわけではない。また、元請負人の事業に一括されている下請負人の事業については、当該下請負人に係る他の有期事業との一括が行われることはない。R2-災8C R6-災8A

・一括の効果

…行われた場合、徴収法の規定の適用については、その事業は…元請負人のみが当該…

趣旨・沿革・概要

条文等の趣旨、沿革、概要をまとめています。難解な条文等も、ここを読み込めばスムーズに理解できます。

Check Point!

本試験頻出事項などを箇条書きでまとめています。

暫定任意適用事業の

があったときはその日

5. 擬制任意適用事業

適用事業が、事業内

になった場合には、そ

(「擬制任意適用事業」

問題チェック

過去の本試験問題から典型的な出題パターンを知るのに最適な問題をピックアップしています。確かな得点力を養うことができます。

- 下線:問題のポイントになる論点には、下線を引いています。下線の引かれている箇所に注意しながらテキストを読み込むことで、日頃から問題文を「正しく」読む習慣をつけることができます。
- Advice:講師の視点で解答テクニック等を記載しています。

問題チェック 演習問題

労働者を常時4人使用している労働保険の暫定任意適用事業の事業主が、雇用保険の加入の申請をするためには、その使用する労働者の2人以上の同意を得なければならず、その使用する労働者の2人以上が希望するときは、労災保険及び雇用保険の加入の申請をしなければならない。

解答 ×　　整備法5条2項、法附則2条2項、3項

労災保険については、労働者の過半数(設問の場合3人以上)が加入を希望する場合に、加入申請をしなければならない。

労災保険の場合は労働者の「過半数」、雇用保険の場合は労働者の「2分の1以上」の希望がある場合に任意加入しなければならない。例えば、労働者数が4人でそのうち2人が希望した場合、労災保険については加入の申請をしなくてもよいが雇用保険については加入の申請をしなければならない。

2. 消滅の時期

適用事業であると暫定任意適用事業であるとを問わず、保険関係は、事業が廃止(継続事業の場合)又は終了(有期事業の場合)した日の翌日に消滅する。

H27-災8D　R6-雇8E (法附則4条、整備法8条)

参考 (事業の一時的休止と保険関係)

事業の一時的休止(すなわち休業)の場合は、ここにいう廃止ではないから保険関係は消滅しない。 (適用手引1編2章3イ)

(事業の廃止又は終了に伴う保険関係消滅の時期)

業廃止の法律上の手続が完了したときとか、請負契約期間の満了したときをもって事業の廃止又は終了とみるべきでなく、現に事実上その事業の活動が停止され、そこにおける労働関係が消滅したときをもって事業の廃止又は終了があったと解すべき したがって、例えば法人が解散したからといって、直ちにその事業が廃止されたはならず、特別の事情がない限りその清算結了の日の翌日に保険関係が消滅する。

(適用手引1編2章3ハ)

参考

本文に関連する通達、判例等をまとめています。補足的な内容でもあるため、まずは本文を優先して読んでいきましょう。

各種アイコン

●過去問番号 R6-1D

過去10年分の本試験出題実績です。

●改正 改正

直近の改正点で重要なところに付しています。

巻末資料編について

過去の本試験での出題実績こそ少ないものの、今後も出題可能性があるものを巻末資料編としてまとめています。まずは本文の学習を優先したうえで、余裕がある方は読み込んでおいてください。

本書の効果的な活用法

「よくわかる社労士」シリーズは、社労士試験の完全合格を実現するための、実践的シリーズです。条文ベースの学習を通して、本試験問題への対応力をスムーズにつけていくことができます。

◉よくわかる社労士シリーズ

『合格テキスト』全10冊＋別冊

『合格するための過去10年本試験問題集』全4冊

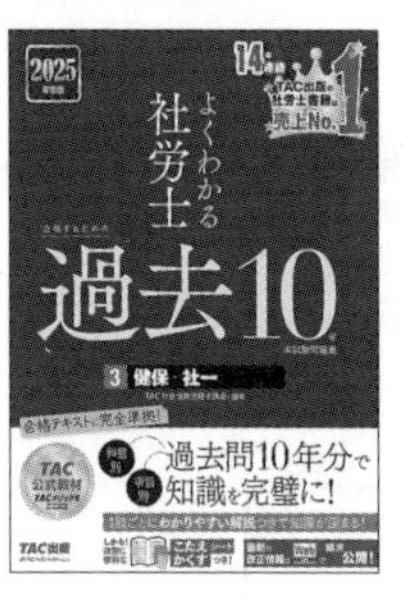
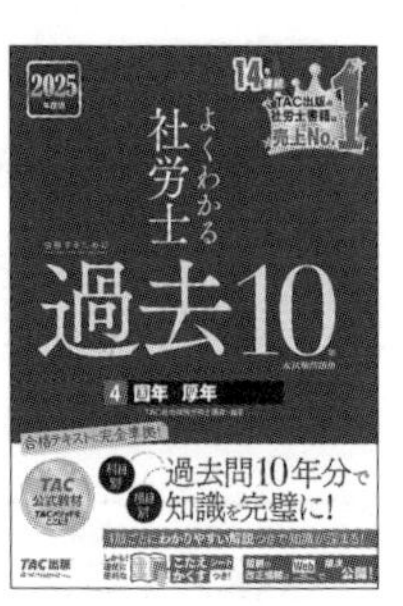

『合格テキスト』をご利用いただく際は、常に姉妹書『合格するための過去10年本試験問題集』の内容を引き合わせながら使用すると、学習効果が倍増します。

- **この問題文の論点は何か？**
- **この問題文の正誤を判断するために必要な要素は何か？**
- **この問題文の空欄には選択語群のうち、どうしてその語句等が適当とされるのか？**

を考えながら、本書を精読することで皆さんの受験勉強が「単に記憶する作業」から「問題文を比較考量して正解を選んでいく行動」へ変化していきます。

本書を最大限に活用して、「確実に合格ラインをこえる解答能力をつけて合格する」という能動的な学習スタイルを身につけていきましょう。

◉よくわかる社労士シリーズを活用した学習法

①まず、『合格するための過去10年本試験問題集』で、試験問題に目を通す。

Check Point!

- どんな問題文かをざっくりつかむことを意識する。
- 解けなくても気にしない！

②『合格テキスト』を科目ごとに読み込む。

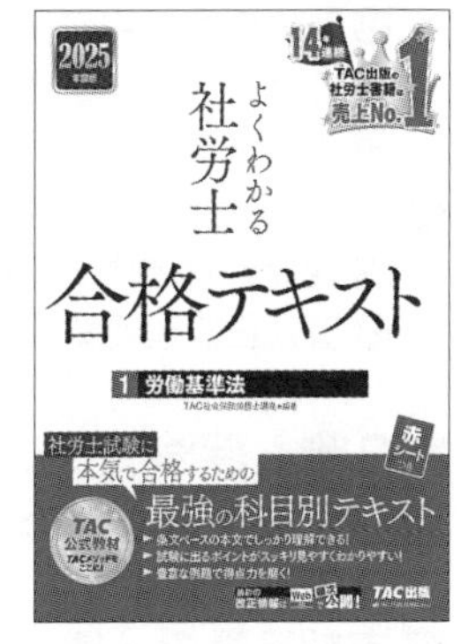

Check Point!

- 「過去問番号」が登場する都度、『合格するための過去10年本試験問題集』で該当問題を確認！
  本文の記載内容が、本試験でどのように出題されているかを同時並行で確認することができます。

- 論点を過去問番号の横に、一言で簡潔にメモ！
  テキストの記載内容を自分の知識に落とし込むには、この方法がとても効果的です。この書き込みを見れば問題文がなんとなく思い浮かぶようになると、解答力が格段にアップします。

によって決定すべきもので、
となく一個の事業とし、場所
業とすること。H26-1D
は、原則としてそれぞれ別個の
「場所的観念で決定しない」×
にする部門が存する場合に、
働者、労務管理等が明確に区
定めることによって労働基準

こうして全科目、ていねいに学習をしていけば、問題がスラスラ解けるようになる知識が身につきます。本シリーズをフル活用して、合格の栄冠を勝ち取っていきましょう。

目　次

凡例

本書において、法令名等は以下のように表記しています。

法	→労働保険の保険料の徴収等に関する法律
法附則	→労働保険の保険料の徴収等に関する法律附則
令	→労働保険の保険料の徴収等に関する法律施行令
則	→労働保険の保険料の徴収等に関する法律施行規則
則附則	→労働保険の保険料の徴収等に関する法律施行規則附則
則別表	→労働保険の保険料の徴収等に関する法律施行規則別表
整備法	→失業保険法及び労働者災害補償保険法の一部を改正する法律及び労働保険の保険料の徴収等に関する法律の施行に伴う関係法律の整備等に関する法律
整備政令	→失業保険法及び労働者災害補償保険法の一部を改正する法律及び労働保険の保険料の徴収等に関する法律の施行に伴う関係政令の整備等に関する政令
整備省令	→失業保険法及び労働者災害補償保険法の一部を改正する法律及び労働保険の保険料の徴収等に関する法律の施行に伴う労働省令の整備等に関する省令
行審法	→行政不服審査法
報奨金政令	→労働保険事務組合に対する報奨金に関する政令
報奨金政令附則	→労働保険事務組合に対する報奨金に関する政令附則
報奨金省令	→労働保険事務組合に対する報奨金に関する省令
厚労告	→厚生労働省告示
労告	→(旧)労働省告示
行政手引	→職業安定行政手引(雇用保険編)
徴収関係事務取扱手引Ⅰ	→徴収関係事務取扱手引Ⅰ(徴収・収納)
適用手引	→労働保険適用関係事務処理手引・労働保険料算定基礎調査実施要領
基発	→厚生労働省労働基準局長名通達
基収	→厚生労働省労働基準局長が疑義に応えて発する通達
労徴発	→(旧)労働保険徴収課長名で発する通達
基災収	→(旧)労働省労働基準局労災補償部長が疑義に答えて発する通達
発労徴	→次官又は官房長が発する労働保険徴収課関係の通達
失保収	→失業保険法時代の失業保険課長が疑義に答えて発する通達
基徴発	→厚生労働省労働基準局労働保険徴収課長が発する通達
基労徴発	→厚生労働省労働基準局労災補償部労働保険徴収課長が発する通達

第1章

総　則

1 趣旨等

❶ 趣旨

❷ 定義

❸ 適用事業の区分

趣旨等

① 趣旨（法1条） 重要度 C

★

労働保険の保険料の徴収等に関する法律は、**労働保険の事業**の**効率的な運営**を図るため、**労働保険の保険関係の成立**及び**消滅**、**労働保険料の納付**の手続、**労働保険事務組合等**に関し必要な事項を定めるものとする。R2-雇8D

沿革

徴収法は、労災保険と失業保険（現在の雇用保険）の適用・徴収事務を一元化することを主目的として昭和44年に制定された法律で、昭和47年４月から施行されている。

② 定義 重要度 B

1 労働保険（法2条1項）

★★

労働保険の保険料の徴収等に関する法律（以下「**徴収法**」という。）において「**労働保険**」とは、**労働者災害補償保険法**（以下「**労災保険法**」という。）による**労働者災害補償保険**（以下「**労災保険**」という。）及び**雇用保険法**による**雇用保険**（以下「**雇用保険**」という。）を総称する。

2 保険年度（法2条4項）

★★

徴収法において「**保険年度**」とは、**4月1日**から**翌年3月31日**までをいう。

3 適用事業

概要

1．適用事業

労働者を使用（雇用）する事業を適用事業とする。

2．暫定任意適用事業

(1) 労災保険の場合

暫定任意適用事業の範囲は次の通りである。

<table>
<tr><th>事業の種類</th><th colspan="4">要　件</th></tr>
<tr><td>農業（畜産・養蚕業を含む）</td><td rowspan="3">個人経営</td><td>事業主が特別加入していない</td><td rowspan="2">常時使用労働者数5人未満</td><td rowspan="2">特定危険有害作業を行う事業ではない</td></tr>
<tr><td>水産業</td><td>船員を使用して行う船舶所有者の事業でない
かつ
・総トン数5トン未満の漁船
又は
・河川、湖沼、特定水面で操業する漁船</td></tr>
<tr><td>林　業</td><td colspan="3">常時労働者を使用せず、かつ、年間使用労働者数延300人未満</td></tr>
</table>

(2) 雇用保険の場合

暫定任意適用事業の範囲は次の通りである。

<table>
<tr><th>事業の種類</th><th colspan="3">要　件</th></tr>
<tr><td>農　業</td><td rowspan="3">個人経営</td><td rowspan="3">常時使用労働者数
5人未満</td><td></td></tr>
<tr><td>水産業</td><td>船員が雇用される事業でない</td></tr>
<tr><td>林　業</td><td></td></tr>
</table>

・適用事業及び暫定任意適用事業については、「合格テキスト３労働者災害補償保険法」「合格テキスト４雇用保険法」を参照。

問題チェック H7-災8A

個人経営の事業主が行う林業の事業であって、常時３人の労働者を使用するものは、労災保険の適用事業であるが、雇用保険については暫定任意適用事業である。

解答 ○ 雇用保険法附則２条１項１号、雇用保険法施行令附則２条、整備政令17条１号、昭和50.4.1労告35号

労災保険は、規模が小さくても労災事故が発生する可能性が高い事業等については、暫定任意適用事業ではなく適用事業となる。

③ 適用事業の区分 重要度A

1 継続事業と有期事業（法7条2号）

★

事業の期間が予定される事業を**有期事業**といい、**有期事業以外**の事業を**継続事業**という。

概要

1．継続事業

継続事業とは、事業の期間が予定されない事業をいい、一般の工場、事務所等がこれに該当する。

2．有期事業

有期事業とは、建設工事などのように事業の期間が予定されている事業をいう。

【例】 建築工事、ダム工事、道路工事などの土木建築工事、立木の伐採など

なお、有期事業という概念は労災保険に係る保険関係についての概念であり、雇用保険に係る保険関係については有期事業という概念がない。

2 適用の特例（法39条1項、則1条3項1号、則70条、雇用保険法附則2条1項）

★★★

Ⅰ　**一元適用事業**とは、Ⅱに規定する事業（**二元適用事業**）以外の**事業**をいう。

Ⅱ　次の**事業**については、当該**事業**を**労災保険**に係る**保険関係**及び**雇用保険**に係る**保険関係**ごとに**別個の事業**とみなして徴収法を適用する。

ⅰ　**都道府県**及び**市町村**の行う**事業**

ii　**都道府県**に準ずるもの及び**市町村**に準ずるものの行う**事業**

R6-雇8B

iii　**港湾労働法**に規定する**港湾運送の行為**を行う**事業**

iv　雇用保険法附則第2条第1項各号に掲げる次の**事業**

ⓘ　土地の耕作若しくは開墾又は植物の栽植、栽培、採取若しくは伐採の事業その他**農林の事業**

ⓘⓘ　動物の飼育又は水産動植物の採捕若しくは養殖の事業その他**畜産、養蚕又は水産の事業（船員が雇用される事業を除く）**

v　**建設**の**事業**

概要

1．一元適用事業

徴収法は、労災保険と雇用保険の保険関係の成立及び消滅並びに保険料の納付手続を一元化することにより、事務の効率化を図る目的で制定されたものであり、このように両保険の適用・徴収事務が一元化して行われる事業を一元適用事業という。

2．二元適用事業

徴収法は、従来の失業保険の適用及び保険料徴収の方式を労災保険の方式に合わせ、両保険の適用事務と保険料徴収事務を一本化して処理すること、すなわち労働保険の適用徴収の一元化を目的として制定されたものであるが、都道府県及び市町村の行う事業その他一定の業種に属する事業については、労災保険と失業保険とで適用労働者の範囲が異なること、あるいは事業の適用単位を統一しがたい実情にあること等両保険の適用について一律に処理しがたい実態があり、両保険の適用・徴収事務を一元化することは実情に即さないので、両保険の保険別にそれぞれ別個の2つの事業とみなしてそれぞれごとに徴収法が適用される。

このように労災保険の適用・徴収事務と雇用保険の適用・徴収事務を別々に行う事業を二元適用事業という。

Check Point!

☐ 国の行う事業は二元適用事業ではない（国の行う事業には、労災保険に係る保険関係が成立する余地がない）。

問題チェック H12-雇10E

国、都道府県及び市町村の行う事業は、労災保険に係る保険関係と雇用保険に係る保険関係ごとに別個の二つの事業として取り扱い、一般保険料の算定、納付等をそれぞれ二つの事業ごとに処理するいわゆる二元適用事業とされている。

解答 ×　　法39条2項、則70条

国の行う事業は労災保険の適用が除外され、労災保険に係る保険関係が成立する余地がないため、二元適用事業とはされていない。

第2章

保険関係の成立及び消滅等

第１節　保険関係の成立及び消滅

第２節　保険関係の一括

第2章 第1節

保険関係の成立及び消滅

1 保険関係の成立等

❶ 適用事業の保険関係の成立

❷ 保険関係成立届

❸ 暫定任意適用事業の保険関係の成立

❹ 名称、所在地等変更届

❺ 代理人選任・解任届

2 保険関係の消滅

❶ 共通の消滅事由

❷ 暫定任意適用事業の保険関係の消滅

保険関係の成立等

❶ 適用事業の保険関係の成立（法3条、法4条、法附則3条、整備法7条） 重要度A

★★★

Ⅰ　**労災保険法**第３条第１項の**適用事業**の事業主については、その**事業が開始された日**又は**労災保険暫定任意適用事業**に該当する事業が同項の**適用事業**に**該当するに至った日**に、その事業につき**労災保険**に係る**労働保険**の**保険関係**（以下「**保険関係**」という。）が**成立**する。R3-災8A

Ⅱ　**雇用保険法**第５条第１項の**適用事業**の事業主については、その**事業が開始された日**又は**雇用保険暫定任意適用事業**に該当する事業が同項の**適用事業**に**該当するに至った日**に、その事業につき**雇用保険**に係る**保険関係**が**成立**する。

Check Point!

- □ 保険関係は、保険関係成立届を提出することによって成立するものではなく、法律上当然に成立する。R6-雇8A
- □ 適用事業の場合の保険関係は、事業が開始された日又は暫定任意適用事業が適用事業となった日に成立する。H27-災8E　R6-雇8A

参考「労働保険の保険関係」とは、労災保険や雇用保険に関する権利義務の基礎となる継続的な法律関係をいう。

❷ 保険関係成立届（法4条の2,1項、則4条1項） 重要度A

★★★

保険関係が**成立**した事業の**事業主**は、その**成立した日から10日以内**に、次の事項を**政府**に届け出なければならない。

ⅰ　**保険関係**が**成立した日**

ⅱ **事業主**の**氏名**又は**名称**及び**住所**又は**所在地**
ⅲ **事業**の**種類**、**名称**、**概要**
ⅳ **事業**の行われる**場所**
ⅴ **事業**に係る**労働者数**
ⅵ **有期事業**にあっては、**事業の予定される期間** R元-災10オ
ⅶ 土木、建築その他の工作物の建設、改造、保存、修理、変更、破壊若しくは解体又はその準備の事業（以下「**建設の事業**」という。）にあっては、当該事業に係る**請負金額**〔消費税及び地方消費税に相当する額（以下「消費税等相当額」という。）を除く。〕並びに**発注者の氏名**又は**名称**及び**住所**又は**所在地**
ⅷ **立木の伐採**の事業にあっては、**素材の見込生産量**
ⅸ 事業主が**法人番号**（行政手続における特定の個人を識別するための番号の利用等に関する法律第２条第15項に規定する法人番号をいう。以下同じ。）を有する場合には、当該事業主の**法人番号**

Check Point!

□ 労災保険に係る保険関係が成立している事業のうち建設の事業に係る事業主は、労災保険関係成立票を見易い場所に掲げなければならない。
R元-災10イ（則77条）

1. 保険関係成立届の提出先

提出先をまとめると、次の通りとなる。

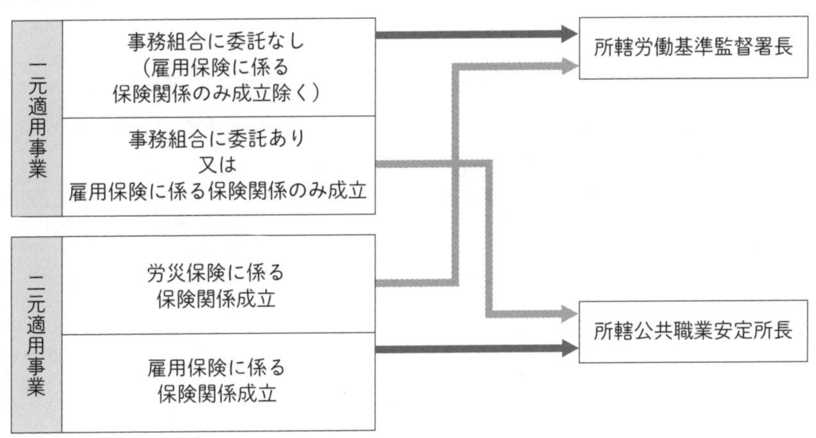

(1)　次の事業に該当する場合は、保険関係成立届を**所轄労働基準監督署長**に提出する。

①　**一元適用事業**であって**労働保険事務組合**に事務処理を**委託しない**もの（**雇用保険に係る保険関係のみ**が成立している事業を**除く**）H28-雇8A

②　**労災保険**に係る保険関係が成立している事業のうち**二元適用事業**

H27-災9A

(2)　次の事業に該当する場合は、保険関係成立届を**所轄公共職業安定所長**に提出する。

①　**一元適用事業**であって**労働保険事務組合**に事務処理を**委託する**もの

H28-雇8B

②　**一元適用事業**であって**労働保険事務組合**に事務処理を**委託しない**もののうち**雇用保険**に係る保険関係**のみ**が成立する事業 R元-災10ア

③　**雇用保険**に係る保険関係が成立している事業のうち**二元適用事業**

（則1条1項2号、3号、整備省令18条）

参考 所轄労働基準監督署長又は所轄公共職業安定所長は、保険関係成立届が提出されたときであって、必要と認めるときには、事業主に対し、登記事項証明書その他の一定の事項を確認できる書類の提出を求めることができる。（則4条3項）

2.　年金事務所経由

次のいずれにも該当する事業主は、保険関係成立届を**年金事務所**（日本年金機構法による年金事務所をいう。以下同じ）**を経由して提出**することができる。後述の「**名称、所在地等変更届**」及び「**代理人選任・解任届**」においても同様である。

(1)　**社会保険適用事業所**（厚生年金保険又は健康保険の適用事業所をいう）の事業主であること。

(2)　**継続事業**に係るものであること。

(3)　**労働保険事務組合**に労働保険事務の処理を**委託していない**こと。

（則78条2項3号、則38条2項2号カッコ書）

参考 （社会保険・労働保険手続に関するワンストップ化）
労働保険等の適用事務に係る事業主の事務負担の軽減及び利便性の向上のため、労働保険の保険料の徴収等に関する法律等に基づく手続のうち、届出契機が同一のものについて、ワンストップでの届出が可能となるよう届出先の経由規定が改正された。なお、これに併せて、より簡素に手続が行えるよう、各届書を一つづりとした届出様式が用意される。
具体的には、徴収法第4条の2に規定する労働保険関係成立届（有期事業、労働保険事務組合に労働保険事務の処理が委託されている事業及び二元適用事業に係るものを除く。）について、一元適用の継続事業の事業主が、健康保険法及び厚生年金保険法上の「新規適用届」又は雇用保険法上の「適用事業所設置届」に併せて提出する場合においては、年金事務所、労働基準監督署長又は公共職業安定所長を経由して提出することができるものとする。

なお、この場合、事業主が提出する概算保険料申告書についても同様に、年金事務所、労働基準監督署長又は公共職業安定所長を経由して提出することができるものとする（令和2年1月1日施行）。

3. 提出期限

保険関係成立届は、保険関係成立日の翌日から起算して**10日以内**に**所轄労働基準監督署長**又は**所轄公共職業安定所長**に提出しなければならない。H27-災9A

参考 厚生労働大臣は、保険関係成立届を提出した事業主の氏名又は名称、住所又は所在地並びにその事業が労災保険及び雇用保険に係る保険関係が成立している事業であるか否かの別（変更の届出があったときは、その変更後のもの）をインターネットを利用して公衆の閲覧に供する方法により公表するものとする。（則79条）

問題チェック H5-災8C

労働保険の保険関係が成立している建設業の事業主は、労働保険関係成立票を見易い場所に掲げなければならない。

解答 ×　則77条

正しくは、「『労災保険』に係る保険関係が成立している建設業の事業主は、労災保険関係成立票を見易い場所に掲げなければならない」である。

---

③ 暫定任意適用事業の保険関係の成立（法附則2条1項、4項、則附則1条の3、整備法5条1項、3項、整備省令3条の2）

重要度 A ★★★

Ⅰ　**労災保険暫定任意適用事業**の**事業主**については、その者が**労災保険**の**加入の申請**をし、**厚生労働大臣**の**認可**（権限は**都道府県労働局長**に**委任**）**があった日**に、その事業につき**労災保険**に係る**保険関係**が**成立**する。H27-災8BC R3-災8B

Ⅱ　労災保険法第3条第1項の**適用事業**が**労災保険暫定任意適用事業**に**該当するに至った**ときは、**その翌日**に、その事業につきⅠの**認可**があったものとみなす。

Ⅲ　**雇用保険暫定任意適用事業**の事業主については、その者が**雇用保険**の**加入の申請**をし、**厚生労働大臣の認可**（権限は**都道府県労働局長に委任**）**があった日**に、その**事業**につき**雇用保険**に係る**保険関係が成立**する。H28-雇8C

Ⅳ　雇用保険法第５条第１項の**適用事業**が**雇用保険暫定任意適用事業**に**該当するに至ったとき**は、**その翌日**に、その**事業**につきⅢの**認可**があったものとみなす。

概要

任意加入の手続きをまとめると、次の通りとなる。

	任意加入の要件	任意加入の申請をしなければならない場合	届出先
労災	労働者の**同意不要**	労働者の**過半数**が希望（申請違反の場合**罰則**の定め**なし**）	都道府県労働局長（**所轄労働基準監督署長経由**）
雇用	労働者の**1/2以上の同意**	労働者の**1/2以上**が希望（申請違反の場合**罰則**の定め**あり**）	都道府県労働局長（**所轄公共職業安定所長経由**）

Check Point!

□ 労災保険に任意加入する場合には労働者の同意は不要であり、したがって同意証明書を提出する必要もないが、雇用保険に任意加入する場合には労働者の２分の１以上の同意が必要であり、同意証明書を提出することが必要となる。H27-災8B R元-災10ウ

1. 任意加入の申請（労災保険の場合）

労災保険の任意加入申請書は、**所轄労働基準監督署長を経由**して、所轄都道府県労働局長に提出する。また、労災保険暫定任意適用事業の事業主は、その事業に使用される**労働者の過半数が希望**するときは、任意加入の申請をしなければならない（**罰則の定めなし**）。H27-災8A H29-災9C R3-災8B

（則78条１項１号、整備法５条２項、整備省令１条、３条の２、14条）

2. 任意加入の申請（雇用保険の場合）

雇用保険の任意加入の申請は、その事業に使用される**労働者の２分の１以上の同意**を得なければ行うことができない。また、雇用保険暫定任意適用事業の事業主は、その事業に使用される**労働者の２分の１以上が希望**するときは、任意加入の申請をしなければならない。R4-雇10A

雇用保険の任意加入申請書は、**所轄公共職業安定所長を経由**して、所轄都道府県

県労働局長に提出する。なお、雇用保険の任意加入申請書には、**労働者の同意**を得たことを**証明**することができる書類を添えなければならない。H28-雇8C

3. 罰則の適用

使用労働者の2分の1以上が希望するにもかかわらず**雇用保険**の任意加入申請をしない事業主、又は**雇用保険**に係る保険関係の成立を希望したことを理由として労働者に対して解雇その他不利益な取扱いをした事業主は、6箇月以下の懲役又は30万円以下の罰金に処せられる。H27-雇8D

（法附則2条2項、3項、法附則7条1項、則78条1項2号、則附則2条）

4. 成立の時期（労災・雇用共通）

暫定任意適用事業の事業主による任意加入の申請に対する**厚生労働大臣の認可があったときはその日**に保険関係が成立する。

5. 擬制任意適用事業（労災・雇用共通）

適用事業が、事業内容の変更や使用労働者の減少等により、暫定任意適用事業になった場合には、**その翌日**に自動的に任意加入の認可があったものとみなされ（「**擬制任意適用事業**」という）**改めて任意加入の手続を要しない**。

H29-災9B R4-雇10B

問題チェック 演習問題

労働者を常時4人使用している労働保険の暫定任意適用事業の事業主が、雇用保険の加入の申請をするためには、その使用する労働者の2人以上の同意を得なければならず、その使用する労働者の2人以上が希望するときは、労災保険及び雇用保険の加入の申請をしなければならない。

解答 ×　　整備法5条2項、法附則2条2項、3項

労災保険については、労働者の過半数（設問の場合3人以上）が加入を希望する場合に、加入申請をしなければならない。

Advice

労災保険の場合は労働者の「過半数」、雇用保険の場合は労働者の「2分の1以上」の希望がある場合に任意加入しなければならない。例えば、労働者数が4人でそのうち2人が希望した場合、労災保険については加入の申請をしなくてもよいが雇用保険については加入の申請をしなければならない。

❹ 名称、所在地等変更届（法4条の2,2項、則5条）重要度 B

★★

保険関係が成立している**事業**の**事業主**は、次の事項に**変更**があったときは、その**変更を生じた日の翌日から起算して10日以内**に、**名称、所在地等変更届**を**所轄労働基準監督署長**又は**所轄公共職業安定所長**に提出することによって届け出なければならない。

i　**事業主**の**氏名**又は**名称**及び**住所**又は**所在地** R6-雇8C

ii　事業の**種類、名称**

iii　事業の行われる**場所**

iv　**有期事業**にあっては、**事業の予定される期間** R4-雇10C

Check Point!

□ 法人の代表取締役の異動は、名称、所在地等変更届を提出する事項には該当しない。H29-災9D

参考 1．名称、所在地等変更届の記載事項は、①労働保険番号、②変更を生じた事項とその変更内容、③変更の理由、④変更年月日である。R4-雇10C

2．所轄労働基準監督署長又は所轄公共職業安定所長は、名称、所在地等変更届が提出されたときであって、必要と認めるときには、事業主に対し、登記事項証明書その他の上記ｉからⅳに掲げる事項を確認できる書類の提出を求めることができる。

（則5条2項、3項）

❺ 代理人選任・解任届（則73条）重要度 B

★★

Ⅰ　**事業主**は、あらかじめ**代理人**を**選任**した場合には、徴収法施行規則によって**事業主**が行なわなければならない事項を、その**代理人**に行なわせることができる。R元-雇10E R6-災10A

Ⅱ　**事業主**は、Ⅰの**代理人**を**選任**し、又は**解任**したときは、**代理人選任・解任届**により、その旨を**所轄労働基準監督署長**又は**所轄公共職業安定所長**に届け出なければならない。**代理人選任・解任届**に記載された事項であって**代理人の選任**に係るものに**変更**を生じたときも、同様とする。R6-災10A

Check Point!

□ 代理人選任・解任届の提出時期は、具体的には規定されていないが、少なくとも代理人が事務を行う前に提出することになる。

保険関係の消滅

① 共通の消滅事由（法5条） 重要度A ★★★

保険関係が成立している**事業が廃止**され、又は**終了**したときは、その**事業**についての**保険関係**は、**その翌日に消滅する**。R6-雇8E

1. 手続等

事業の廃止又は終了による保険関係消滅の場合は、**保険関係消滅の手続は不要**であるが**労働保険料の確定精算を行わなければならない**。H27-災8D H29-災9A

2. 消滅の時期

適用事業であると暫定任意適用事業であるとを問わず、保険関係は、事業が廃止（継続事業の場合）又は終了（有期事業の場合）した日の翌日に消滅する。

H27-災8D R6-雇8E（法附則4条、整備法8条）

参考（事業の一時的休止と保険関係）
事業の一時的休止（すなわち休業）の場合は、ここにいう廃止ではないから保険関係は消滅しない。（適用手引1編2章3イ）

（事業の廃止又は終了に伴う保険関係消滅の時期）
単に営業廃止の法律上の手続が完了したときとか、請負契約期間の満了したときをもって直ちに事業の廃止又は終了とみるべきでなく、現に事実上その事業の活動が停止され、その事業における労働関係が消滅したときをもって事業の廃止又は終了があったと解すべきである。したがって、例えば法人が解散したからといって、直ちにその事業が廃止されたことにはならず、特別の事情がない限りその清算結了の日の翌日に保険関係が消滅する。（適用手引1編2章3ハ）

❷ 暫定任意適用事業の保険関係の消滅（法附則4条、整備法8条1項、2項、整備省令3条の2） 重要度A ★★★

Ⅰ **保険関係**が**成立**している**労災保険暫定任意適用事業**の**事業主**については、徴収法第5条［共通の消滅事由］の規定によるほか、その者が当該**保険関係**の**消滅の申請**をし、**厚生労働大臣の認可**（**権限**は**都道府県労働局長**に**委任**）があった**日の翌日**に、その**事業**についての当該**保険関係**が**消滅**する。R3-災8DE

Ⅱ Ⅰの**申請**は、次のⅰからⅲに該当する場合でなければ行うことができない。H29-災9E

ⅰ 当該**事業**に使用される**労働者の過半数の同意**を得ること。

ⅱ **擬制任意適用事業以外**の**事業**にあっては、**保険関係が成立した後1年を経過**していること。

ⅲ **特別保険料**が**徴収**される場合は、**特別保険料**の**徴収期間を経過**していること。R3-災8C

Ⅲ 保険関係が成立している**雇用保険暫定任意適用事業**の事業主については、徴収法第5条［共通の消滅事由］の規定によるほか、その者が当該保険関係の**消滅の申請**をし、**厚生労働大臣の認可**（権限は**都道府県労働局長**に**委任**）があった**日の翌日**に、その事業についての当該保険関係が消滅する。R6-雇8D

Ⅳ Ⅲの申請は、その事業に使用される**労働者の4分の3以上の同意**を得なければ行うことができない。H29-災9E

概要

任意脱退の要件等をまとめると、次の通りとなる。

	任意脱退の要件	届出先
労災	・労働者の**過半数の同意** ・保険関係成立後1年経過 ・特別保険料徴収期間経過	都道府県労働局長 （**所轄労働基準監督署長経由**）
雇用	労働者の**3/4以上の同意**	都道府県労働局長 （**所轄公共職業安定所長経由**）

1. 手続

保険関係消滅申請書は、労働者の**同意を得たことを証明することができる書類を添付**したうえ、労災保険に係る当該申請書は所轄労働基準監督署長を経由して、雇用保険に係る当該申請書は所轄公共職業安定所長を経由して、所轄都道府県労働局長に提出する。R元-災10エ R3-災8D

（則78条1項1号、2号、則附則1条の3、3条、整備省令3条、3条の2、14条）

2. 消滅の時期（労災・雇用共通）

保険関係の消滅申請に対する厚生労働大臣の**認可があったときは、その日の翌日**に、その事業についての保険関係が消滅する。

参考 労災保険に加入する以前に労災保険暫定任意適用事業において発生した業務上の傷病、複数事業労働者の2以上の事業の業務を要因とする傷病又は通勤による傷病に関しても、当該事業が労災保険に加入した後において、事業主の申請により特例による保険給付がなされるが、この場合は通常の保険料とは別に特例による保険給付の費用に充てるための保険料が徴収される。これを**特別保険料**という。この特別保険料を徴収する一定期間を経過するまでの間は、労災保険からの脱退を認めないこととされている。

（整備法18条、18条の2、18条の3、19条）

第2章 第2節

保険関係の一括

1 一括の要件まとめ

❶ 種類

2 有期事業の一括

❶ 有期事業の一括の要件及び効果

❷ 一括有期事業報告書

3 請負事業の一括等

❶ 請負事業の一括の要件及び効果

❷ 下請負事業の分離の要件及び効果

4 継続事業の一括

❶ 継続事業の一括の要件及び効果

一括の要件まとめ

① 種類 重要度 C

★

保険関係の一括には、「有期事業の一括」、「請負事業の一括」及び「継続事業の一括」の３種類がある。また、請負事業の一括の対象となる事業において、元請負人及び下請負人の申請により一定の事業の規模を有する下請負事業を元請負事業に一括することなく分離して保険関係を成立させる「下請負事業の分離」の制度もある。

Check Point!

□ 保険関係一括の要件をまとめると、次の通りとなる。

	有期事業の一括	請負事業の一括	下請負事業の分離	継続事業の一括
対象事業	**労災保険**に係る保険関係が成立している事業のうち、**建設**の事業又は**立木の伐採**の事業	**労災保険**に係る保険関係が成立している事業のうち、**建設**の事業であり、**数次の請負**によって行われるもの		それぞれの事業が、次の①～③のいずれか１つのみに該当すること（保険関係に同一性があること） ①二元適用事業（労災の保険関係成立） ②二元適用事業（雇用の保険関係成立） ③一元適用事業
事業規模	概算保険料相当額 **160万円未満** **かつ** **建設**の事業 …請負金額**１億8,000万円未満** **立木の伐採**の事業 …素材の見込生産量**1,000㎥未満**		概算保険料相当額 **160万円以上** **又は** 請負金額 **1億8,000万円以上**	

<table>
<tr><th></th><th>有期事業の一括</th><th>請負事業の一括</th><th>下請負事業の分離</th><th>継続事業の一括</th></tr>
<tr><td>認可</td><td colspan="2">不要（所定の要件に該当した場合法律上当然に一括される）</td><td colspan="2">厚生労働大臣（都道府県労働局長に委任）の認可※を受けること</td></tr>
<tr><td>その他の要件</td><td>①それぞれの事業主が同一人である。
②それぞれの事業が有期事業である。
③それぞれの事業が他の事業の全部又は一部と同時に行われる。
④それぞれの事業が労災保険率表の事業の種類を同じくする。
⑤それぞれの事業に係る保険料納付の事務が１つの事務所で行われる。</td><td colspan="2"></td><td>①それぞれの事業主が同一人である。
②それぞれの事業が継続事業である（暫定任意適用事業であると強制適用事業であるとを問わない）。
③それぞれの事業が労災保険率表の事業の種類を同じくする。</td></tr>
</table>

※　下請負事業の分離の認可申請は、元請負人と下請負人が共同で所轄都道府県労働局長に対して行う。また、継続事業の一括の認可申請は、指定を受けることを希望する事業に係る所轄都道府県労働局長に対して行う。

有期事業の一括

① 有期事業の一括の要件及び効果（法7条、則6条1項、2項、4項）重要度A ★★★

Ⅰ　**2以上の事業**が次の要件に該当する場合には、徴収法の規定の適用については、その**全部を一の事業**とみなす。

i　**事業主**が**同一人**であること。

ii　**それぞれの事業**が、**有期事業**であること。

iii　**それぞれの事業**が、**労災保険**に係る**保険関係**が**成立**している**事業**のうち、**建設の事業**であり、又は**立木の伐採の事業**であること。 H28-災8A R3-災10B

iv　**それぞれの事業の規模**が、**概算保険料**を算定することとした場合における**概算保険料**の額に相当する額が**160万円未満**であり、**かつ**、**建設の事業**にあっては、**請負金額**（消費税等相当額を除く。）が**1億8,000万円未満**、**立木の伐採の事業**にあっては、**素材の見込生産量**が**1,000立方メートル未満**であること。 H28-災8B R3-災10A

v　**それぞれの事業**が、他のいずれかの事業の**全部又は一部と同時**に行なわれること。

vi　**それぞれの事業**が、**労災保険率表**に掲げる**事業の種類を同じく**すること。R3-災10C

vii　**それぞれの事業**に係る**労働保険料の納付**の**事務**が**一の事務所**（**一括事務所**）で取り扱われること。

Ⅱ　Ⅰにより**一の事業**とみなされる事業［**一括有期事業**］に係る徴収法施行規則の規定による**事務**については、**一括事務所の所在地を管轄する都道府県労働局長及び労働基準監督署長**を、それぞれ、**所轄都道府県労働局長及び所轄労働基準監督署長**とする。

Check Point!

□ 上記Ⅰ i ～viiの要件を満たす場合は、申請等の手続を経ることなく法律上当然に有期事業の一括が行われる。

1. 一括の要件

(1) 上記Ⅰ i について

事業主とは、個人企業の場合は個人、法人企業の場合は法人であるので、個人企業の代表者と法人企業の代表取締役が同一人であっても事業主は別人であり、一括の対象とはならない。R3-災10D

また、同一の事業主が元請負人として実施している事業と下請負人として実施している事業は原則として一括されない（建設業に属する事業が数次の請負によって行われるときは、元請事業主が、請負事業の一括の規定によりその事業の事業主とされるため、下請事業主は一括扱いの対象とならない）。

R3-災10E

【例】

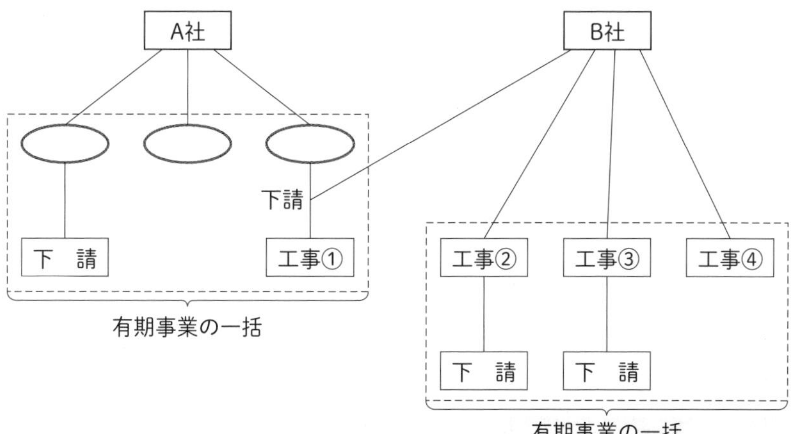

B社が施工している①②③④の建築工事中、①の工事が他の元請負人A社の下請工事で、②③④の工事がB社独自の元請工事の場合、②③④の工事は一括されるが、①の工事は元請負人A社の工事に一括されることとなる。

(2) 上記Ⅰ vについて

「それぞれの事業が、他のいずれかの事業の全部又は一部と同時に行われる」とは、２以上の事業が時期的に多少とも重複して行われるものであることをいう。

（昭和40.7.31基発901号）

(3) 上記Ⅰviについて

一括されるそれぞれの事業は、労災保険率表に掲げる事業の種類が同じでなければならないので、同一事業主の有期事業であっても、事業の種類を異にするときは、それぞれの事業の種類ごとに一括されることになる。

(4) 上記Ⅰviiについて

ここにいう保険料の納付事務を取り扱う一の事務所（「一括事務所」という）とは、当該事業の施工に当たり、かつ、保険料の申告及び納付の事務を行う事務能力のある事務所をいう。したがって、当該事業の施工に当たるが保険料の申告及び納付事務を行う事務能力を有しない事務所については、その事務所を統括管理する事務所のうち、当該事業に係る保険料の申告及び納付事務を実際に行う直近上位の事務所を一括事務所として取り扱うこととなる。

2. 一括の効果

(1) 個々の事業は全体として一の事業とみなされる（「一括有期事業」という）

個々の事業の保険関係は一括事務所に一括され、一括事務所の所轄都道府県労働局長及び所轄労働基準監督署長が一括された事業の所轄行政官庁となる。 H28-災8E H30-災8D （則6条4項）

(2) 一括有期事業は、原則として継続事業とみなされる

したがって、それぞれの事業ごとの保険関係の成立及び消滅、労働保険料の納付及び精算手続が不要となり、保険料の申告・納付が保険年度単位で行われることになる。また、継続事業のメリット制も適用される。

H30-災8D （昭和40.7.31基発901号）

参考 一括された個々の事業については、その後、事業の規模の変更等があった場合でも、あくまで**当初の一括の扱い**によることとし、新たに独立の有期事業として取り扱われない。また、当初、独立の有期事業として保険関係が成立した事業は、その後、事業の規模の変更等があった場合でも、一括扱いの対象とはされない。 H28-災8D （同上）

問題チェック H10-災9C

有期事業であって、保険関係の成立時点で一括された個々の事業が、事業規模の変更等により有期事業の一括の要件に該当しないこととなった場合には、当該個々の事業は、それ以降、新たに独立の有期事業として取り扱われる。

解答 ×　昭和40.7.31基発901号

設問の場合は、当初の一括された有期事業として取り扱われる。

---

②一括有期事業報告書（則34条） 重要度A ★★★

一括有期事業についての事業主は、**次の保険年度の6月1日**から起算して**40日以内**又は**保険関係が消滅した日**から起算して**50日以内**に、**一括有期事業報告書**を**所轄都道府県労働局歳入徴収官**に提出しなければならない。R6-雇10C

趣旨

一括有期事業報告書は、前年度中又は保険関係が消滅した日までに終了又は廃止したそれぞれの一括された事業の明細を報告するものであり、確定保険料申告書の提出と併せ、**所轄都道府県労働局歳入徴収官**に提出しなければならない。R4-災8C

請負事業の一括等

① 請負事業の一括の要件及び効果 (法8条1項、則7条) 重要度A

★★★

厚生労働省令で定める**事業**（**労災保険**に係る**保険関係**が**成立**している**事業**のうち**建設の事業**）が**数次の請負**によって行なわれる場合には、徴収法の規定の適用については、**その事業を一の事業**とみなし、**元請負人のみを当該事業の事業主**とする。R2-災8A

概要

次の要件を満たす場合には、**法律上当然**に請負事業の一括が行われる。

R2-災8B

(1) **労災保険**に係る保険関係が成立している事業のうち**建設の事業**であること。R2-災8A

(2) **数次の請負**によって行われること。

Check Point!

□ 一括されるのは労災保険に係る保険関係であって、雇用保険に係る保険関係が一括されるわけではない。また、元請負人の事業に一括されている下請負人の事業については、当該下請負人に係る他の有期事業との一括が行われることはない。R2-災8C R6-災8A

・一括の効果

請負事業の一括が行われた場合、徴収法の規定の適用については、その事業は一の事業とみなされ、元請負人のみが当該事業の事業主とされる。したがって、当該元請負人は下請負人の使用する労働者を含めて当該事業に使用される労働者につき保険料の納付等、保険関係についての義務を負わなければならない。

R2-災8DE R6-災8B

【例】

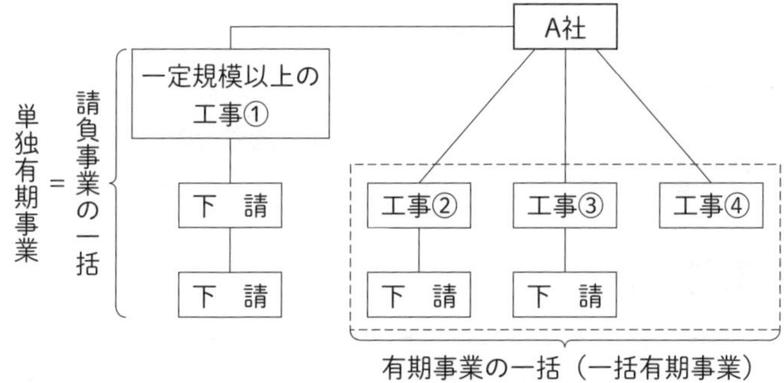

❷ 下請負事業の分離の要件及び効果（法8条2項、則8条、則9条）

重要度 A ★★★

Ⅰ　第８条第１項［請負事業の一括］に規定する場合において、**元請負人及び下請負人**が、当該**下請負人の請負に係る事業**に関して**下請負人のみ**を当該**事業の事業主**として**徴収法の規定の適用**を受けることにつき**申請**をし、**厚生労働大臣の認可**（権限は**都道府県労働局長に委任**）があったときは、当該**請負に係る事業**については、**下請負人のみ**を当該**事業**の**事業主**として**徴収法の規定を適用**する。

Ⅱ　Ｉの**認可**を受けようとする**元請負人及び下請負人**は、**保険関係が成立した日の翌日**から起算して**10日以内**に、**下請負人を事業主とする認可申請書**を**所轄都道府県労働局長**に提出しなければならない。ただし、やむを得ない理由により、この期限内に当該申請書の提出をすることができなかったときは、期限後であっても提出することができる。R6-災8CD

Ⅲ　Ｉの**認可**を受けるためには、**下請負人の請負に係る事業**が**有期事業の一括**の**事業規模要件に該当する事業以外**の**事業**でなければならない。

趣旨

労災保険に係る保険関係が成立している建設の事業が数次の請負によって行われる場合には、元請負人のみをその事業の事業主として一括するのが原則であるが、下請負人の請負に係る事業が一定規模以上であり、当該事業と元請負人の請負に係る事業が明確に区別でき、かつ、下請負人が保険料負担能力、災害補償義務の履行能力からみて問題がないような場合は、下請負人の請負に係る事業については、元請負人及び下請負人の申請により当該下請負人をその事業の事業主として分離させることができる。

Check Point!

□ 所定の要件に該当することにより法律上当然に分離されるのではなく、元請負人と下請負人が共同で申請し、厚生労働大臣（都道府県労働局長）の認可を受けなければならない。

１．分離の要件

具体的な分離の要件は次の通りである。

⑴　**請負事業の一括の対象となる事業であること**

　労災保険に係る保険関係が成立している事業のうち、**数次の請負**によって行われる**建設の事業**が対象となる。H27-災10C

⑵　**下請負人の請負に係る事業が、有期事業の一括の対象となる規模の事業ではないこと**

　その事業の規模が、概算保険料を算定することとした場合における**概算保険料**の額に相当する額が**160万円以上、又は、請負金額**（消費税等相当額を除く。）が**１億8,000万円以上**であることが必要である。

H27-災10B　R6-災8E

⑶　**下請負事業の分離につき、元請負人及び下請負人が共同で申請し、厚生労働大臣の認可を受けること** H27-災10A

①　認可に関する厚生労働大臣の権限は、都道府県労働局長に委任されているので、下請負人を事業主とする認可申請書は、**所轄都道府県労働局長**に提出する。（則８条、則76条１号）

②　認可申請書は、やむを得ない理由がある場合を除き、**保険関係成立日の翌日**から起算して**10日以内**に提出しなければならない。

H27-災10D　R6-災8C

参考 ⑶②の「やむを得ない理由」とは、天災、不可抗力等の客観的理由により、また、事業開始前に請負方式の特殊性から下請負契約が成立しない等の理由により期限内に申請書を提出することができない場合をいう。R6-災8D　（則８条、昭和47.11.24労徴発41号）

2. 分離の効果

下請負人の請負に係る事業については、その事業が1つの事業とみなされ、下請負人のみを当該事業の事業主として徴収法の規定が適用される。H27-災10E

継続事業の一括

① 継続事業の一括の要件及び効果（法9条、則10条2項、則76条2号）重要度A ★★★

Ⅰ　**事業主**が同一人である**2以上の事業**（有期事業**以外の事業に限る**。）であって、厚生労働省令で定める要件に該当するものに関し、当該**事業主**が当該**2以上の事業**について**成立**している**保険関係**の**全部又は一部**を**一の保険関係**とすることにつき**申請**をし、厚生労働大臣の**認可**（**権限**は都道府県労働局長に**委任**）があったときは、徴収法の規定の適用については、当該**認可**に係る**2以上の事業**に**使用**される**すべての労働者**は、これらの**事業**のうち厚生労働大臣が**指定**（権限は都道府県労働局長に**委任**）**するいずれか一の事業**に**使用**される**労働者**とみなす。この場合においては、厚生労働大臣が**指定する一の事業以外**の事業に係る**保険関係**は、消滅する。R5-災10A

Ⅱ　Ⅰの**認可**を受けようとする事業主は、**継続事業一括申請書**を、**指定を受けることを希望する事業**に係る所轄都道府県労働局長に提出しなければならない。H28-雇8E

Check Point!

□ 継続事業の一括の認可があった場合であっても、労災保険及び雇用保険に係る給付に関する事務並びに雇用保険の被保険者に関する届出の事務は、個々の事業所ごとに行わなければならない。H30-災8B

（昭和40.7.31基発901号、行政手引22003）

1.　一括の要件

⑴　**事業主が同一人であること。**

継続事業の一括を行うためには、事業主が同一人である必要がある。

⑵　**継続事業であること。**

それぞれの事業が継続事業であれば**暫定任意適用事業であると強制適用事**

業であるとを問わない。

暫定任意適用事業については、任意加入の申請と同時に継続事業の一括の申請をしたものであっても差し支えない。R5-災10D

(3) **それぞれの事業が、次のいずれか1つのみに該当するものであること。** R5-災10B

① 労災保険に係る保険関係が成立している事業のうち二元適用事業
② 雇用保険に係る保険関係が成立している事業のうち二元適用事業
③ 一元適用事業であって労災保険及び雇用保険に係る保険関係が成立しているもの

(4) **それぞれの事業が、労災保険率表に掲げる事業の種類を同じくすること。** R5-災10C

(5) **継続事業の一括の申請を行い、厚生労働大臣の認可を受けること。**

認可を受けようとする事業主は、指定事業（その事業に他の各事業が一括される事業）として指定を受けることを希望する事業に係る所轄都道府県労働局長に継続事業一括申請書を提出する。

指定事業の指定は、申請を受けた都道府県労働局長が認可をする際に行う。

この指定事業は、一括される事業のうち、労働保険事務を的確に処理する事務能力を有すると認められるものに限られるため、申請人の希望する事業と必ずしも一致しない場合がある。R5-災10E

なお、指定事業以外の事業の名称又は当該事業の行われる場所に変更があったときは、**遅滞なく**、継続被一括事業名称・所在地変更届を、**指定事業に係る**所轄都道府県労働局長に提出しなければならない。

（則10条2項～4項、則76条2号）

参考 一括扱いは、指定事業の事務能力に応じ、一括される事業の範囲を定めるべきものであり、必ずしもすべての事業を一括する趣旨ではない。したがって支店、支社等において、その下部機構の事務を集中管理している場合には、当該支店、支社等を指定事業としてその下部機構を一括することができる。（昭和40.7.31基発901号）

2. 一括の効果

(1) **対象事業の保険関係が指定事業に一元化され、全労働者が指定事業の労働者とみなされる。**

指定事業については、事業規模の拡大に伴う増加概算保険料の納付が必要となる場合がある。

(2) **指定事業以外の保険関係は消滅する。** H30-災8A R2-災9E R4-災9A

指定事業以外の対象事業（被一括事業）については、保険関係の消滅に伴う保険料の確定精算手続が必要となる。

参考 一括されている継続事業のうち指定事業以外の事業の全部又は一部の事業の種類が変更されたときは、事業の種類が変更された事業について保険関係成立の手続をとらせ、指定事業を含む残りの事業については、指定事業の労働者数又は賃金総額の減少とみなして確定保険料報告の際に精算することとされている。 H30-災8E （昭和40.7.31基発901号）

問題チェック H6-雇8D R5-災10C類題

継続事業の一括は、原則として労災保険率表による事業の種類を同じくすることが条件であるが、雇用保険に係る保険関係が成立している二元適用事業の一括については、この限りでない。

解答 ×　法9条、則10条1項

雇用保険に係る保険関係が成立している二元適用事業の場合であっても、労災保険率表による事業の種類が同じでなければ一括されない。

問題チェック H30-災8C

一括扱いの認可を受けた事業主が新たに事業を開始し、その事業をも一括扱いに含めることを希望する場合の継続事業一括扱いの申請は、当該事業に係る所轄都道府県労働局長に対して行う。

解答 ×　法9条、則10条2項、昭和40.7.31基発901号

設問の場合の継続事業の一括扱いの申請は、「当該事業（新たに開始した事業）」ではなく「指定事業」に係る所轄都道府県労働局長に対して行う。

第3章 労働保険料の額

1 労働保険料
❶ 労働保険料

2 一般保険料
❶ 一般保険料の額
❷ 賃金総額
❸ 一般保険料率

3 特別加入保険料
❶ 第１種特別加入保険料の額
❷ 第２種特別加入保険料の額
❸ 第３種特別加入保険料の額

4 印紙保険料
❶ 印紙保険料の額
❷ 印紙保険料の額の変更

労働保険料

① 労働保険料（法10条） 重要度B

★★

Ⅰ　**政府**は、**労働保険の事業**に要する費用にあてるため**保険料**を徴収する。R4-雇10D

Ⅱ　Ⅰの規定により徴収する**保険料**（以下「**労働保険料**」という。）は、次のとおりとする。R元-災8A

- ⅰ　**一般保険料**
- ⅱ　**第１種特別加入保険料**
- ⅲ　**第２種特別加入保険料**
- ⅳ　**第３種特別加入保険料**
- ⅴ　**印紙保険料**
- ⅵ　**特例納付保険料**

概要

- 「一般保険料」は、事業主が労働者に支払う賃金を基礎として算定する通常の保険料である。
- 「第１種特別加入保険料」は、労災保険法に規定する中小事業主等の特別加入者についての保険料である。
- 「第２種特別加入保険料」は、労災保険法に規定する一人親方等の特別加入者についての保険料である。
- 「第３種特別加入保険料」は、労災保険法に規定する海外派遣者の特別加入者についての保険料である。
- 「印紙保険料」は、雇用保険法に規定する日雇労働被保険者についての雇用保険印紙による保険料である。
- 「特例納付保険料」は、雇用保険法に規定する特例対象者を雇用していた事業主のうち、保険関係成立届を提出せず保険料を納付していないものが、保険料徴収権の消滅時効である２年経過後においても、時効消滅した期間について特例的に納付することができる保険料である。

・労働保険の事業に要する費用

労働保険の事業に要する費用とは、保険給付に要する費用、社会復帰促進等事業及び雇用安定等の事業に要する費用、事務の執行に要する費用（人件費、旅費、庁費等の事務費)、その他保険事業の運営のために要する一切の費用をいう。

R4-雇10D

一般保険料

① 一般保険料の額 重要度A

1 一般保険料額の原則（法11条1項）

★★★

一般保険料の額は、**賃金総額**に第12条［一般保険料率］の規定による**一般保険料に係る保険料率**を乗じて得た額とする。 R元-災8B R2-雇10E

概要

一般保険料額は原則的には次の算式で求められる。

一般保険料の額＝賃金総額×一般保険料率（労災保険率＋雇用保険率）

一般に、賃金総額とは、事業主がその事業に使用するすべての労働者に支払う賃金の総額をいい、一般保険料率とは、労災保険率と雇用保険率を合算した率をいう。

2 一般保険料額の特例（整備省令17条1項）

★★

徴収法第39条第1項に規定する事業以外の事業（**一元適用事業**）であって、**雇用保険法**の適用を受けない者を使用するものについては、当該事業を**労災保険**に係る**保険関係**及び**雇用保険**に係る**保険関係**ごとに**別個の事業**とみなして**一般保険料の額**を算定するものとする。

H30-雇8B R4-雇8A

概要

一元適用事業であっても、労災保険と雇用保険とで一般保険料の額の計算の基礎となる労働者の範囲が異なる場合には、次のとおり労災保険の保険料と雇用保険の保険料を別々に計算し、それらを合算した額を一般保険料の額とする。なお、一般保険料の納付（還付、充当、督促及び滞納処分を含む。）については、通常の一元適用事業と全く同様である。R4-雇8A

一般保険料の額＝（労災保険料に係る労働者の賃金総額 × 労災保険率）＋（雇用保険料に係る労働者の賃金総額 × 雇用保険率）

なお、二元適用事業については、徴収法では、労災保険に係る保険関係及び雇用保険に係る保険関係ごとに別個の事業とみなしているので、労災保険の保険料と雇用保険の保険料は別個に計算することになる。

❷ 賃金総額 重要度A

1 賃金（法2条2項、3項）★★★

Ⅰ　徴収法において「**賃金**」とは、**賃金**、**給料**、**手当**、**賞与**その他**名称のいかんを問わず**、**労働の対償**として**事業主が労働者に支払うもの**（**通貨以外**のもので支払われるものであって、**厚生労働省令で定める範囲外**のものを除く。）をいう。

Ⅱ　**賃金**のうち**通貨以外**のもので支払われるものの**評価**に関し必要な事項は、**厚生労働大臣**が定める。

Check Point!

□ 通貨以外のもので支払われる賃金の範囲は、食事、被服及び住居の利益のほか、所轄労働基準監督署長又は所轄公共職業安定所長の定めるところによる。R元-雇10C（則3条）

□ 通貨以外のもので支払われるものの評価に関する必要事項は、厚生労働大臣が定める。R5-雇10A

参考 1.現物給与の価額の適用に当たっては、**労働者の勤務地**（労働者が常時勤務する場所）が所在する都道府県の現物給与の価額を適用することを原則とすること。
2.派遣労働者については、**派遣元**事業所において社会保険の適用を受けるが、派遣元と派遣先の事業所が所在する都道府県が異なる場合は、**派遣元**事業所が所在する都道府県の現物給与の価額を適用すること。
3.在籍出向、在宅勤務等により適用事業所以外の場所で常時勤務する者については、適用事業所と常時勤務する場所が所在する都道府県が異なる場合は、その者の勤務地ではなく、その者が使用される事業所が所在する都道府県の現物給与の価額を適用すること。

4.トラックの運転手や船員等の常時勤務する場所の特定が困難な者については、その者が使用される事業所が所在する都道府県（船員については当該船員が乗り組む船舶の船舶所有者の住所が属する都道府県）の現物給与の価額を適用すること。

2 賃金総額の原則（法11条2項）

★★★

「**賃金総額**」とは、**事業主**がその**事業**に**使用**する**すべての労働者**に支払う**賃金の総額**をいう。H30-雇9ア　R4-災10A　R4-雇8B～E

概要

賃金総額に算入するか否かの主な取扱いについては、次の通りである。

賃金総額に算入されるもの	賃金総額に算入されないもの
休業手当（60%超過部分を含む）	休業補償（60%超過部分を含む）
会社が負担する労働保険料や社会保険料の被保険者負担分の負担額	財産形成貯蓄奨励金又は会社が負担する生命保険の掛金 H29-災8D
・住宅手当（原則） ・通勤定期券 ・保険年度内に支払が確定したがその保険年度内に支払われなかった賃金 ・5月に1月に遡及してベースアップを行うことが決定された場合の1～3月のベースアップ分（5月の属する年度の賃金総額に算入） ・単身赴任手当 ・臨時に支払われる賃金	・住居施設等を無償で供与される場合であって、住居施設が供与されない者に対して、住居の利益を受ける者との均衡を失しない定額の均衡手当が一律に支給されない場合における当該住居の利益 H29-災8E ・実費相当額が労働者の賃金から徴収される場合の食事の利益 ・作業衣の支給費用（現物給付に代えて被服費相当額が現金で支給される場合を含む） ・結婚祝金、死亡弔慰金、災害見舞金 ・退職時に支払われる退職金 ・解雇予告手当 ・傷病手当金(傷病手当金に付加して事業主から支給される恩恵的給付額を含む) R4-災10D ・通貨以外のもので支払われるものであって厚生労働省令で定める範囲外のもの

Check Point!

□ 退職金（給与や賞与に上乗せするなど前払いされる場合を除く）、結婚祝金、死亡弔慰金及び災害見舞金については、支給要件が明確な（就業規則等に定めがある）場合であっても賃金総額に算入されない。

参考（前払いされる退職金）
退職を事由として支払われる退職金であって、退職時に支払われるもの又は事業主の都合等により退職前に一時金として支払われるものについては、一般保険料の算定基礎となる賃金総額に算入しないが、労働者が在職中に、退職金相当額の全部又は一部を給与や賞与に上乗せするなど前払いされる場合には、労働の対償としての性格が明確であり、労働者の通常の生計にあてられる経常的な収入としての意義を有することから、原則として、一般保険料の算定基礎となる賃金総額に算入する。H29-災8A （平成15.10.1基徴発1001001号）

（遡って昇給決定した昇給差額）
遡って昇給が決定したが個々人に対する昇給額が未決定のまま離職した者について、離職後支払われる昇給差額については、個々人に対して昇給をするということ及びその計算方法が決定しており、ただその計算の結果が離職時までにまだ算出されていない場合にも、事業主としては支払義務が確定したものとなるから、賃金と認められる。H29-災8B
（昭和32.12.27失保収652号）

（被保険者が死亡した場合の賃金）
労働者の賃金債権は、債務の履行としての労働の提供を行ったときに発生するものであり、被保険者が死亡した場合、死亡前の労働の対償としての賃金の支払義務は死亡時に確立しているから、次の(1)から(4)の場合いずれも当該賃金に対する保険料を徴収するものとする。なお、賃金が未払となっている場合は、未払賃金として取り扱うものとする。
(1)賃金締切日前に死亡した場合 H29-災8C
(2)賃金締切日後であるが支払前日に死亡した場合
(3)賃金支払日後死亡したが当該月分の保険料の納期限内の場合
(4)所定の支払日には到達しているが、死亡時に未払となっている場合 （同上）

（私有自動車維持費）
社内規程により私有自動車を社用に提供する者に対し支給される私有自動車維持費は、実費弁償と解される。ただし、自己の通勤に併用する者に対して加算額を支給しているような場合の当該加算額は賃金と解される。 （昭和28.2.10基収6212号、昭和63.3.14基発150号）

（業務外の疾病等で休業中の手当）
従業員が業務外の疾病又は負傷のため勤務に服することができないため、事業主から支払われる手当金は、それが労働協約、就業規則等で労働者の権利として保障されている場合は、賃金と認められる。ただし、単に恩恵的に見舞金として支給されている場合は賃金とは認められない。R4-災10E （昭和24.6.14基災収3850号）

問題チェック H24-雇10E改 R6-雇10D類題

令和6年3月20日締切り、翌月5日支払の月額賃金は、令和5年度保険料の算定基礎額となる賃金総額に含まれる。

解答 ○ 昭和24.10.5基災収5178号

「その保険年度の末日又は保険関係が消滅した日までに使用したすべての労働者に支払った賃金総額」とは、現実に支払った賃金額を意味するのではなく、その保険年度の末日又は保険関係が消滅した日までに支払いが確定した賃金と解釈される。

したがって、設問の「翌月5日支払の月額賃金」は、3月20日に支払いが確定しているものであるため令和5年度保険料の算定基礎額となる賃金総額に含まれる。

---

3 賃金総額の特例（法11条3項、則12条）

★★★

第11条第2項［賃金総額の原則］の規定にかかわらず、**労災保険**に係る**保険関係**が成立している事業のうち次のⅰからⅳに掲げる事業であって、**賃金総額を正確に算定することが困難なもの**については、厚生労働省令で定めるところにより算定した額を当該事業に係る**賃金総額**とする。R5-雇10B

ⅰ　**請負による建設の事業**

ⅱ　**立木の伐採の事業**

ⅲ　**造林の事業**、**木炭又は薪**を**生産**する**事業**その他の**林業の事業**（**立木の伐採の事業**を**除く**。）

ⅳ　**水産動植物の採捕又は養殖の事業**

Check Point!

□　ⅰからⅳの事業について賃金総額の特例が適用されるのは、賃金総額を正確に算定することが困難な場合に限られる。H30-雇8C

1．請負による建設の事業

労災保険に係る**保険関係**が成立している**請負による建設の事業**であって、**賃金総額を正確に算定することが困難**なものについては、**請負金額**※に則別表第2に掲げる率（**労務費率**）を乗じて得た額を**賃金総額**とする。

H30-雇8C　R元-災8C　R4-災10C

賃金総額＝請負金額※×労務費率

（則13条1項）

「請負金額」とは、いわゆる請負代金の額そのもののほか、次のように、注文者等から支給又は貸与を受けた「工事用物」の価額等を加減して計算された額をいう。

(1)　事業主が注文者その他の者から**その事業に使用する物の支給を受け、又は**

機械器具等の貸与を受けた場合には、原則として、支給された物の価額に相当する額※又は機械器具等の損料に相当する額※を請負代金の額※に**加算する**。

R元-災8C（則13条２項１号本文）

(2) 機械装置の組立て又は据付けの事業の事業主が注文者その他の者から当該**組み立て又は据え付ける機械装置の支給を受けた場合**には、当該機械装置の価額は請負代金の額※に加算せず、また、その機械装置の価額に相当する額※が請負代金の額に含まれている場合には、機械装置の価額に相当する額※を請負代金の額※から**控除する**。（則13条２項１号ただし書、２号、昭和58年労告14号）

※ 消費税等相当額を除く。R4-災10C

参考 労務費率は、事業の種類ごとに請負金額中に占める賃金費用の一般的割合に応じて定められた率である。

事業の種類の分類	事業の種類		請負金額に乗ずる率（労務費率）
建設事業	水力発電施設、ずい道等新設事業		19%
	道路新設事業		19%
	舗装工事業		17%
	鉄道又は軌道新設事業		19%
	建築事業（既設建築物設備工事業を除く）		23%
	既設建築物設備工事業		23%
	機械装置の組立て又は据付けの事業	組立て又は取付けに関するもの	38%
		その他のもの	21%
	その他の建設事業		23%

（則別表第２）

２．立木の伐採の事業

労災保険に係る**保険関係**が成立している**立木の伐採の事業**であって、**賃金総額を正確に算定することが困難**なものについては、**所轄都道府県労働局長**が定める**素材１立方メートル**を生産するために必要な**労務費**の額に、**生産するすべての素材の材積**を乗じて得た額を**賃金総額**とする。

賃金総額＝素材１㎥当たりの労務費の額×生産する素材の材積

（則14条）

３．立木の伐採の事業以外の林業及び水産業

労災保険に係る**保険関係**が成立している次の事業であって、**賃金総額を正確に算定することが困難**なものについては、その事業の労働者につき労働基準法第12

条第８項の規定に基づき**厚生労働大臣が定める平均賃金**に相当する額に、それぞれの労働者の**使用期間の総日数**を乗じて得た額の合算額を**賃金総額**とする。

R4-災10B

⑴　**造林の事業**、**木炭又は薪を生産する事業**その他の**林業の事業**（**立木の伐採の事業**を**除く**。）

⑵　**水産動植物の採捕又は養殖の事業**

賃金総額＝（厚生労働大臣が定める平均賃金相当額×各労働者の使用期間の総日数）の合算額

（則15条）

❸ 一般保険料率 重要度A

1 一般保険料率の定義（法12条1項）

★

一般保険料に係る保険料率（「**一般保険料率**」という。）は、次のとおりとする。

ⅰ　**労災保険**及び**雇用保険**に係る保険関係が成立している事業にあっては、**労災保険率と雇用保険率とを加えた率** R元-災8B

ⅱ　**労災保険**に係る保険関係**のみ**が成立している事業にあっては、**労災保険率**

ⅲ　**雇用保険**に係る保険関係**のみ**が成立している事業にあっては、**雇用保険率**

2 労災保険率（法12条2項）

★★★

労災保険率は、**労災保険法**の規定による**保険給付**及び**社会復帰促進等事業に要する費用の予想額**に照らし、**将来にわたって**、**労災保険の事業**に係る**財政の均衡**を保つことができるものでなければならないものとし、政令で定めるところにより、**労災保険法**の**適用**を受ける**全ての事業**の**過去３年間**の**業務災害**、**複数業務要因災害**及び**通勤災害**に係る**災害率**並びに**二次健康診断等給付**に**要した費用の額**、**社会復帰促進等事業**として行う**事業の種類**及び**内容その他の事情**を**考慮**して**厚生労

働大臣が定める。H30-雇8E R5-雇10C

概要

労災保険率は、厚生労働省令で定める事業の種類ごとに、過去３年間に発生した業務災害、複数業務要因災害及び通勤災害に係る保険給付の種類ごとの**受給者数**及び**平均受給期間**、過去３年間の二次健康診断等給付の**受給者数**その他の事項に基づき算定した保険給付に要する費用の予想額を基礎とし、労災保険に係る保険関係が成立している全ての事業の過去３年間の業務災害、複数業務要因災害及び通勤災害に係る災害率並びに二次健康診断等給付に要した費用の額、社会復帰促進等事業として行う事業の種類及び内容、**労働者災害補償保険事業**の**事務の執行**に要する費用の予想額その他の事情を考慮して定めるものとする。（令本則）

Check Point!

□ 労働者派遣事業における事業の種類は、派遣労働者の派遣先での作業実態に基づき決定する。派遣労働者の派遣先での作業実態が数種にわたる場合には、主たる作業実態に基づき事業の種類を決定することとし、この場合の主たる作業実態は、それぞれの作業に従事する派遣労働者の数、当該派遣労働者に係る賃金総額等により判断する（なお、雇用保険率については、原則として、一般の事業の雇用保険率を適用する）。

（昭和61.6.30発労徴41号、基発383号、平成12.2.24発労徴12号、基発94号）

・**労災保険率**

労災保険率は、次表のとおり、**最低1000分の2.5**（**金融業、保険業又は不動産業等**）から**最高1000分の88**〔**金属鉱業、非金属鉱業**（石灰石鉱業又はドロマイト鉱業を除く）**又は石炭鉱業**〕の範囲で定められている。

なお、労災保険率には、**非業務災害率**（**1000分の0.6**）が含まれている。

「**非業務災害率**」とは、労災保険法の適用を受ける全ての事業の過去**3年間**の**複数業務要因災害**に係る**災害率**、**通勤災害**に係る**災害率**、**二次健康診断等給付**に要した費用の額及び厚生労働省令で定めるところにより算定された労災保険法第８条第３項［**複数事業労働者に係る給付基礎日額の算定**］に規定する**給付基礎日額**を用いて算定した**保険給付の額**その他の事情を考慮して**厚生労働大臣**の定める率をいう。（法12条３項、則16条２項）

■労災保険率表

事業の種類の分類	事業の種類	労災保険率
林　業	林業	1000分の52
漁　業	海面漁業（定置網漁業又は海面魚類養殖業を除く）	1000分の18
	定置網漁業又は海面魚類養殖業	1000分の37
鉱　業	金属鉱業、非金属鉱業（石灰石鉱業又はドロマイト鉱業を除く）又は石炭鉱業	1000分の88
	石灰石鉱業又はドロマイト鉱業	1000分の13
	原油又は天然ガス鉱業	1000分の2.5
	採石業	1000分の37
	その他の鉱業	1000分の26
建設事業	水力発電施設、ずい道等新設事業	1000分の34
	道路新設事業	1000分の11
	舗装工事業	1000分の９
	鉄道又は軌道新設事業	1000分の９
	建築事業（既設建築物設備工事業を除く）	1000分の9.5
	既設建築物設備工事業	1000分の12
	機械装置の組立て又は据付けの事業	1000分の６
	その他の建設事業	1000分の15
製造業	食料品製造業	1000分の5.5
	繊維工業又は繊維製品製造業	1000分の４
	木材又は木製品製造業	1000分の13
	パルプ又は紙製造業	1000分の７
	印刷又は製本業	1000分の3.5
	化学工業	1000分の4.5
	ガラス又はセメント製造業	1000分の６
	コンクリート製造業	1000分の13
	陶磁器製品製造業	1000分の17
	その他の窯業又は土石製品製造業	1000分の23
	金属精錬業（非鉄金属精錬業を除く）	1000分の6.5
	非鉄金属精錬業	1000分の７
	金属材料品製造業（鋳物業を除く）	1000分の５
	鋳物業	1000分の16
	金属製品製造業又は金属加工業（洋食器、刃物、手工具又は一般金物製造業及びめっき業を除く）	1000分の９
	洋食器、刃物、手工具又は一般金物製造業（めっき業を除く）	1000分の6.5
	めっき業	1000分の6.5
	機械器具製造業（電気機械器具製造業、輸送用機械器具製造業、船舶製造又は修理業及び計量器、光学機械、時計等製造業を除く）	1000分の５
	電気機械器具製造業	1000分の３

	輸送用機械器具製造業（船舶製造又は修理業を除く）	1000分の４
	船舶製造又は修理業	1000分の23
	計量器、光学機械、時計等製造業（電気機械器具製造業を除く）	1000分の2.5
	貴金属製品、装身具、皮革製品等製造業	1000分の3.5
	その他の製造業	1000分の６
運輸業	交通運輸事業	1000分の４
	貨物取扱事業（港湾貨物取扱事業及び港湾荷役業を除く）	1000分の8.5
	港湾貨物取扱事業（港湾荷役業を除く）	1000分の９
	港湾荷役業	1000分の12
電気、ガス、水道又は熱供給の事業	電気、ガス、水道又は熱供給の事業	1000分の３
その他の事業	農業又は海面漁業以外の漁業	1000分の13
	清掃、火葬又はと畜の事業	1000分の13
	ビルメンテナンス業	1000分の６
	倉庫業、警備業、消毒又は害虫駆除の事業又はゴルフ場の事業	1000分の6.5
	通信業、放送業、新聞業又は出版業	1000分の2.5
	卸売業・小売業、飲食店又は宿泊業	1000分の３
	金融業、保険業又は不動産業	1000分の2.5
	その他の各種事業	1000分の３

船舶所有者の事業	1000分の42

（則16条１項、則別表第１）

参考 労災保険率表に掲げる各事業の細目・具体的範囲については、「労災保険率適用事業細目表」が告示されており、ある事業が労災保険率表のいずれの事業に該当するかの判断は、この事業細目表に基づくことになる。

問題チェック H18-災9A H26-災10A類題

事業主が同一人である場合には、業種が異なる二以上の部門が場所的に分かれて独立した運営が行われていても、常時使用される労働者の数が最も多い部門の業種に応ずる労災保険率が適用される。

解答 ×　平成15.3.25基発0325008号、平成12.2.24発労徴12号、基発94号

事業主が同一人である場合であっても、設問の場合には、それぞれの部門ごとに、その事業の種類ごとに定められた労災保険率が適用されるため、誤り。

3 雇用保険率（法12条4項）改正

★★★

雇用保険率は、次のⅰからⅲに掲げる率の区分に応じ、当該ⅰからⅲに定める率を合計して得た率とする。

ⅰ　**失業等給付費等充当徴収保険率**（雇用保険率のうち雇用保険法の規定による**失業等給付**及び同法第64条に規定する事業［就職支援法事業（**職業訓練受講給付金**）］に要する費用に対応する部分の率をいう。以下同じ。）

…**1000分の8**〔ⓘからⓥに掲げる事業（ⓘ及びⓘⓘに掲げる事業のうち、**季節的に休業し、又は事業の規模が縮小することのない事業として厚生労働大臣が指定する事業**を**除く**。）については、**1000分の10**とし、弾力的変更の規定により変更されたときは、その変更された率とする。〕R元-災9A

ⓘ　土地の耕作若しくは開墾又は植物の栽植、栽培、採取若しくは伐採の事業その他農林の事業

ⓘⓘ　動物の飼育又は水産動植物の採捕若しくは養殖の事業その他畜産、養蚕又は水産の事業

ⓘⓘⓘ　土木、建築その他工作物の建設、改造、保存、修理、変更、破壊若しくは解体又はその準備の事業

ⓘⓥ　清酒の製造の事業

ⓥ　ⓘからⓘⓥまでに掲げるもののほか、雇用保険法第38条第1項に規定する短期雇用特例被保険者の雇用の状況等を考慮して政令で定める事業

ⅱ　**育児休業給付費充当徴収保険率**（雇用保険率のうち雇用保険法の規定による育児休業給付に要する費用に対応する部分の率をいう。以下同じ。）

…**1000分の5**（弾力的変更の規定により変更されたときは、その変更された率とする。）

ⅲ　**二事業費充当徴収保険率**〔雇用保険率のうち雇用保険法の規定による**雇用安定事業**及び能力開発事業（同法第63条［**就職支援法事業以外の能力開発事業**］に規定するものに限る。）に要する費用に対応する部分の率をいう。以下同じ。〕

…**1000分の3.5**（ⅰⓘⓘⓘに掲げる事業については、**1000分の4.5**とし、弾力的変更の規定により変更されたときは、その変更された率とする。）

・雇用保険率

雇用保険率は、「失業等給付費等充当徴収保険率」、「育児休業給付費充当徴収保険率」及び「二事業費充当徴収保険率」を合計して得た率とする。（令和７年４月１日施行）

事業の種類	ⅰ　失業等給付費等充当徴収保険率	ⅱ　育児休業給付費充当徴収保険率	ⅲ　二事業費充当徴収保険率	雇用保険率（ⅰ＋ⅱ＋ⅲ）
一般の事業	1000分の８	1000分の５	1000分の3.5	1000分の16.5
・農林・畜産・養蚕・水産の事業 ・清酒製造の事業	1000分の10	1000分の５	1000分の3.5	1000分の18.5
建設業	1000分の10	1000分の５	1000分の4.5	1000分の19.5

なお、農林水産業のうち、季節的に休業し、又は事業の規模が縮小することのない事業として厚生労働大臣が指定する次の⑴から⑷の事業についての失業等給付費等充当徴収保険率は、「一般の事業」と同様となる。

⑴　**牛馬育成**、**酪農**、**養鶏**又は**養豚**の事業
⑵　**園芸サービス**の事業 R元-災9A
⑶　**内水面養殖**の事業
⑷　雇用保険法第６条第５号に規定する**船員が雇用される事業**

（平成21年厚労告535号）

参考（令和６年度の雇用保険率）

事業の種類	雇用保険率
一般の事業	1000分の15.5
・農林・畜産・養蚕・水産の事業 ・清酒製造の事業	1000分の17.5
建設業	1000分の18.5

H30-雇8D

4 失業等給付費等充当徴収保険率の弾力的変更（法12条５項～７項）

改正

★★

Ⅰ　**厚生労働大臣**は、**毎会計年度**において、**徴収保険料額**並びに雇用保険法第66条第１項、第２項及び第４項の規定による**国庫の負担額**

（同条第１項第４号の規定による**育児休業給付**に係る**国庫の負担額**を**除く**。）、同条第５項の規定による**国庫の負担額**（同法による雇用保険事業の**事務の執行に要する経費**に係る分を**除く**。）並びに同法第67条の規定による**国庫の負担額**の**合計額**と同法の規定による**失業等給付の額**並びに同法第64条の規定による**助成**及び**職業訓練受講給付金**の**支給の額**との合計額（以下Ⅰにおいて「**失業等給付額等**」という。）との**差額**を当該**会計年度末**における**労働保険特別会計**の**雇用勘定**の**積立金**（Ⅲにおいて「**積立金**」という。）に**加減した額**から同法第10条第５項に規定する**教育訓練給付**の**額**（以下「**教育訓練給付額**」という。）及び同条第６項に規定する**雇用継続給付**の**額**（以下「**雇用継続給付額**」という。）を**減じた額**が、当該**会計年度**における**失業等給付額等**から**教育訓練給付額**及び**雇用継続給付額**を**減じた額**の**２倍**に**相当する額を超え**、又は当該**失業等給付額等**から**教育訓練給付額**及び**雇用継続給付額**を**減じた額に相当する額を下る**に至った場合において、必要があると認めるときは、**労働政策審議会の意見を聴いて**、**１年以内の期間**を定め、**失業等給付費等充当徴収保険率**を**1000分の４**から**1000分の12**まで（法第12条第４項第１号に規定する事業（③ｉのⓘからⓥの事業）については、**1000分の６**から**1000分の14**まで）の**範囲内**において**変更**することができる。

R2-雇8E改　R5-雇10D改

Ⅱ　Ⅰの「**徴収保険料額**」とは、**雇用保険に係る一般保険料徴収額**から当該**一般保険料徴収額**に**育児休業給付費充当徴収保険率**を雇用保険率で除して得た率を乗じて得た額（以下「**育児休業給付費充当徴収保険料額**」という。）及び当該一般保険料徴収額に二事業費充当徴収保険率を雇用保険率で除して得た率（以下「**二事業率**」という。）を乗じて得た額（以下「**二事業費充当徴収保険料額**」という。）の合計額を減じた額並びに**印紙保険料**の額の総額の合計額をいう。

Ⅲ　**厚生労働大臣**は、Ⅰの規定により**失業等給付費等充当徴収保険率**を**変更**するに当たっては、雇用保険法第４条第１項に規定する**被保険者**の**雇用及び失業の状況その他の事情**を考慮し、**雇用保険の事業**に係る**失業等給付**の**支給**に**支障**が生じないようにするために**必要な**

額の**積立金**を**保有**しつつ、**雇用保険の事業**に係る**財政の均衡**を**保つ**ことができるよう、**配慮**するものとする。

概要

失業等給付費等充当徴収保険率は、法第12条第４項において原則の料率が定められているが、毎会計年度において、雇用保険の財政状況に応じて一定の範囲内で弾力的に変更ができる仕組みがとられている（法律改正によらず、**厚生労働大臣**が**労働政策審議会の意見を聴いて**行うことができることとされている）。

なお、育児休業給付費充当徴収保険率、二事業費充当徴収保険率についても、弾力的変更の規定が設けられている。R2-雇8E改

1. 弾力的変更の要件

厚生労働大臣は、次の①と②の額を比較して、①が②の２倍を超え（次図A）、又は①が②を下回る（次図B）場合には、原則の失業等給付費等充当徴収保険率を**±0.4%の範囲内**（**弾力的変更の範囲**）で変更することができる。

① その会計年度の「**徴収保険料額**（**育児休業給付**及び**二事業に係る額**を**除く**。）」及び「**国庫の負担額**（**育児休業給付**に係る額を**除く**。）」の合計額（**収入額**）と「**失業等給付額等**」（**支出額**）との差額を当該会計年度末における**積立金額に加減した額**から「**教育訓練給付及び雇用継続給付の額**」を減じた額

② 「**失業等給付額等**」から「**教育訓練給付及び雇用継続給付の額**」を減じた額

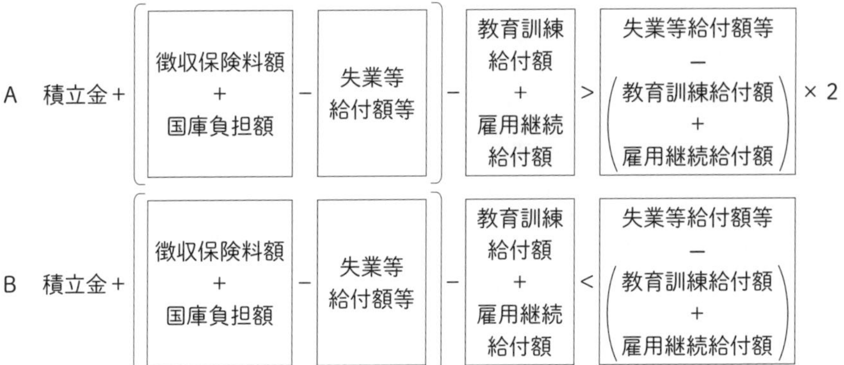

・弾力的変更に係る算定においては、教育訓練給付の額と雇用継続給付の額を除いて算定する。

2. 弾力的変更の範囲

失業等給付費等充当徴収保険率については、原則として、毎年度、弾力的変更の規定の要件に該当するか否かが確認され、要件に該当すれば法律で定める率を弾力的変更の範囲内で変更する形を採っている。

事業の種類	原則の失業等給付費等充当徴収保険率	弾力的変更の範囲
一般の事業	8/1000	4/1000～12/1000
・農林・畜産・養蚕・水産の事業 ・建設業 ・清酒製造の事業	10/1000	6/1000～14/1000

特別加入保険料

① 第1種特別加入保険料の額（法13条、則21条の2）重要度A

★★★

第１種特別加入保険料の額は、労災保険法第34条第１項［**中小事業主等の特別加入**］の規定により**保険給付**を受けることができることとされた者（「**第１種特別加入者**」という。）について同項第３号の**給付基礎日額その他の事情**を**考慮**して厚生労働省令で定める額（「**特別加入保険料算定基礎額**」という。）の**総額**にこれらの者に係る**事業**についての第12条第２項の規定による**労災保険率**と**同一の率**から**労災保険法**の**適用**を受ける**すべての事業**の**過去３年間**の**二次健康診断等給付**に**要した費用の額**を考慮して**厚生労働大臣の定める率**（零）を**減じた率**（「**第１種特別加入保険料率**」という。）を**乗じて得た額**とする。R2-災10A

概要

第１種特別加入保険料額の算式は、次の通りである。R5-災8A

> 第１種特別加入保険料の額＝
> 特別加入保険料算定基礎額の総額×第１種特別加入保険料率

・特別加入保険料算定基礎額は、原則として、特別加入者の給付基礎日額を365倍した額となる。

> 特別加入者の給付基礎日額×365

・第１種特別加入保険料率は次のように記すことができるが、「厚生労働大臣の定める率」は、現在「零」とされているので、中小事業主等が行う事業に係る労災保険率と同一の率となる。R2-災10A

> 中小事業主等が行う事業に係る労災保険率と同一の率 － 労災保険法の適用を受けるすべての事業の過去３年間の二次健康診断等給付に要した費用の額を考慮して厚生労働大臣の定める率（＝零）

・特別加入保険料算定基礎額の月割計算

次の者の特別加入保険料算定基礎額は、本来の特別加入保険料算定基礎額を12で除して得た額（その額に**１円未満の端数**があるときは、これを**１円に切り上げる**）にその者が当該保険年度（有期事業の場合は事業の全期間）中に第１種特別加入者とされた期間の**月数**（その月数に**１月未満の端数**があるときは、これを**１月**とする）を乗じて得た額とする。R2-災10B

⑴　保険年度の中途に第１種特別加入者となった者

⑵　保険年度の中途に第１種特別加入者でなくなった者　（則21条）

当該**月割計算**については、**第２種特別加入者**や**第３種特別加入者**の場合も**同様**である。　（則22条、則23条の２）

参考（特別加入保険料算定基礎額表）

給付基礎日額	特別加入保険料算定基礎額
25,000円	9,125,000円
24,000円	8,760,000円
22,000円	8,030,000円
20,000円	7,300,000円
18,000円	6,570,000円
16,000円	5,840,000円
14,000円	5,110,000円
12,000円	4,380,000円
10,000円	3,650,000円
9,000円	3,285,000円
8,000円	2,920,000円
7,000円	2,555,000円
6,000円	2,190,000円
5,000円	1,825,000円
4,000円	1,460,000円
3,500円	1,277,500円
3,000円	1,095,000円
2,500円	912,500円
2,000円	730,000円

（3,000円～2,000円）第２種特別加入者のうちの家内労働者又は補助者のみに適用される

（則21条、則別表第４、⑸則附則３条３項）

参考（１月未満の端数処理）

特別加入期間の算定に当たり、「その月数に１月未満の端数があるときは、これを１月とする。」とは、継続事業の場合は特別加入に係る承認日の属する月及び特別加入者たる地位消滅日の前日の属する月（暦月算定）、有期事業の場合は当該有期事業についての特別加入期間のすべて（承認日起算による月算定）においての端数処理であると解することとされている。　（平成7.3.30労徴発28号）

② 第2種特別加入保険料の額（法14条） 重要度A ★★★

Ⅰ　**第２種特別加入保険料**の額は、労災保険法第35条第１項［**一人親方等の特別加入**］の規定により**労災保険**の**適用**を受けることができることとされた者（「**第２種特別加入者**」という。）について同条第１項第６号の**給付基礎日額その他の事情**を**考慮**して厚生労働省令で定める額（「**特別加入保険料算定基礎額**」という。）の**総額**に労災保険法第33条第３号の**事業**と**同種**若しくは**類似の事業**又は同条第５号の**作業**と**同種**若しくは**類似の作業**を行う**事業**についての**業務災害**、**複数業務要因災害**及び**通勤災害**に係る**災害率**（**通勤災害**の不適用者については、当該**同種**若しくは**類似の事業**又は当該**同種**若しくは**類似の作業**を行う事業についての**業務災害**及び**複数業務要因災害**に係る**災害率**）、**社会復帰促進等事業**として行う**事業の種類**及び**内容その他の事情**を**考慮**して**厚生労働大臣の定める率**（「**第２種特別加入保険料率**」という。）を乗じて得た額とする。R2-災10C

Ⅱ　**第２種特別加入保険料率**は、**第２種特別加入者**に係る**保険給付**及び**社会復帰促進等事業**に**要する費用の予想額**に照らし、**将来にわたって、労災保険**の**事業**に係る**財政の均衡を保つ**ことができるものでなければならない。R2-災10E

概要

第２種特別加入保険料額の算式は、次の通りである。R5-災8C

> 第２種特別加入保険料の額＝
> 特別加入保険料算定基礎額の総額×第２種特別加入保険料率

・第２種特別加入者の特別加入保険料算定基礎額は、第１種特別加入者の場合と同様である（原則として、その特別加入者の給付基礎日額を365倍した額となる）。R2-災10C（則22条、則別表第４）

・第２種特別加入保険料率は、26の事業又は作業の種類に応じ、**最高1000分の52から最低1000分の3**の範囲内で、**11段階**の率が定められている。改正
R2-災10D（則23条、則別表第５）

(第２種特別加入保険料率)

事業又は作業の種類	保険料率
個人タクシー、フードデリバリー等の自転車配達員等の事業	1000分の11
建設業の一人親方の事業	1000分の17
漁船による自営業者の事業	1000分の45
林業の一人親方の事業	1000分の52
医薬品の配置販売の事業	1000分の６
再生資源取扱の事業	1000分の14
船員法第１条に規定する船員が行う事業	1000分の48
柔道整復師法に規定する柔道整復師が行う事業	1000分の３
高年齢者雇用安定法に規定する創業支援等措置に基づく事業	1000分の３
あん摩マッサージ指圧師、はり師又はきゅう師が行う事業	1000分の３
歯科技工士法に規定する歯科技工士が行う事業	1000分の３
特定フリーランス事業 改正	1000分の３
指定農業機械作業	1000分の３
職場適応訓練生の作業	1000分の３
金属製洋食器等加工作業	1000分の14
履物等の加工の作業	1000分の５
陶磁器製造の作業	1000分の17
動力織機による作業	1000分の３
仏壇、木製食器等の加工の作業	1000分の18
事業主団体等委託訓練生の作業	1000分の３
特定農作業	1000分の９
労働組合等の一人専従役員の作業	1000分の３
介護作業及び家事支援作業	1000分の５
芸能関係作業	1000分の３
アニメーション制作作業	1000分の３
ITフリーランスに係る作業	1000分の３

R5-災8D

(則別表第５)

❸ 第３種特別加入保険料の額 (法14条の2) 重要度A ★★★

Ⅰ　**第３種特別加入保険料**の額は、労災保険法第36条第１項［**海外派遣者の特別加入**］の規定により**保険給付**を受けることができることとされた者（「**第３種特別加入者**」という。）について同項第２号において準用する同法第34条第１項第３号の**給付基礎日額その他の事情**を**考慮**して厚生労働省令で定める額（「**特別加入保険料算定基礎**

額」という。）の**総額**に労災保険法第33条第６号又は第７号に掲げる者が**従事**している**事業**と**同種又は類似**の徴収法の**施行地内**で行われている**事業**についての**業務災害**、**複数業務要因災害**及び**通勤災害**に係る**災害率**、**社会復帰促進等事業**として行う**事業**の**種類及び内容その他の事情**を**考慮**して**厚生労働大臣**の**定める率**（「**第３種特別加入保険料率**」という。）を**乗じて得た額**とする。

Ⅱ　**第３種特別加入保険料率**は、**第３種特別加入者**に係る**保険給付**及び**社会復帰促進等事業に要する費用の予想額**に照らし、**将来にわたって、労災保険**の**事業**に係る**財政の均衡を保つ**ことができるものでなければならない。R2-災10E

概要

第３種特別加入保険料額の算式は、次の通りである。R5-災8E

第３種特別加入保険料の額＝ 特別加入保険料算定基礎額の総額×第３種特別加入保険料率

・第３種特別加入者の特別加入保険料算定基礎額は、第１種特別加入者の場合と同様である（原則として、その特別加入者の給付基礎日額を365倍した額となる）。（則23条の２、則別表第４）

・第３種特別加入保険料率は、事業の種類にかかわらず**一律に1000分の3**と定められている。（則23条の３）

印紙保険料

① 印紙保険料の額（法22条1項）重要度B

★★

印紙保険料の額は、雇用保険法第43条第１項に規定する**日雇労働被保険者**１人につき、**１日当たり**、次表に掲げる額とする。

賃金の日額	等級区分	額
11,300円以上の者	第１級保険料日額	**176**円
8,200円以上11,300円未満の者	第２級保険料日額	**146**円
8,200円未満の者	第３級保険料日額	**96**円

② 印紙保険料の額の変更（法22条2項、3項）重要度B

★★

Ⅰ　**厚生労働大臣**は、第12条第５項［失業等給付費等充当徴収保険率の弾力的変更］の規定により**失業等給付費等充当徴収保険率**を**変更**した場合には、**第１級保険料日額**、**第２級保険料日額**及び**第３級保険料日額**を、Ⅱに定めるところにより、**変更**するものとする。改正

Ⅱ　Ⅰの場合において、**第１級保険料日額**、**第２級保険料日額**及び**第３級保険料日額**は、**日雇労働被保険者１人**につき、これらの**保険料日額**の**変更前**と**変更後**における**労働保険料の負担額**（一般保険料と印紙保険料の負担額）が**均衡**するように、厚生労働省令で定める基準により算定した額に**変更**するものとする。

第4章

労働保険料の納付

第4章 第1節

概算保険料

1 概算保険料の申告・納付

❶ 申告・納付の仕組み

❷ 継続事業（一括有期事業を含む）の納期限

❸ 有期事業の納期限

❹ 申告・納付先

❺ 継続事業（一括有期事業を含む）の納付額

❻ 有期事業の納付額

2 概算保険料の延納

❶ 概算保険料の延納

❷ 継続事業（一括有期事業を含む）の延納

❸ 有期事業の延納

3 増加概算保険料等

❶ 増加概算保険料

❷ 概算保険料の追加徴収

❸ 概算保険料の認定決定

概算保険料の申告・納付

① 申告・納付の仕組み 重要度B

★★

一般保険料、第１種特別加入保険料、第２種特別加入保険料及び第３種特別加入保険料については、保険年度の当初や保険関係成立当初にあらかじめ概算額（概算保険料）で申告・納付し、保険年度の終了後や保険関係消滅後に確定額（確定保険料）を申告し、概算額と確定額の過不足を精算する仕組みをとっている。

② 継続事業（一括有期事業を含む）の納期限（法15条1項） 重要度A

★★★

事業主は、**保険年度ごと**に、**労働保険料**を、その**労働保険料の額**その他厚生労働省令で定める事項を**記載**した**申告書**に添えて、**その保険年度の６月１日から40日以内**〔**保険年度の中途**に**保険関係が成立**したものについては、当該**保険関係が成立した日**（**保険年度の中途**に労災保険法第34条第１項［**中小事業主等の特別加入**］の**承認**があった事業に係る**第１種特別加入保険料**及び**保険年度の中途**に労災保険法第36条第１項［**海外派遣者の特別加入**］の**承認**があった事業に係る**第３種特別加入保険料**に関しては、それぞれ当該**承認があった日**）から**50日以内**〕に**納付**しなければならない。 H30-雇9ウ　R3-災9A

概要

継続事業（**一括有期事業を含む**）の事業主は、次の期限までに概算保険料を申告・納付しなければならない。

前保険年度より保険関係が引き続く事業に係る労働保険料	保険年度の６月１日から起算して40日以内
保険年度の中途に保険関係が成立した事業に係る労働保険料	保険関係が成立した日から50日以内
保険年度の中途に第１種特別加入・第３種特別加入の承認があった事業に係る特別加入保険料	特別加入の承認があった日から50日以内

・納期限

期間計算の方法は法令等に別段の定めがある場合を除き、国税通則法の規定に従うとされている。国税通則法第10条においては、期間計算を行うときは、原則として、期間の初日は算入しない（翌日起算）こととされている〔その期間が午前零時から始まるときは初日を算入する（当日起算)〕。

【例】

⑴　前保険年度より保険関係が引き続く事業の場合（当日起算）

「保険年度の６月１日から40日」の計算は当日を起算日とするので、７月10日が納期限となる（毎年６月１日から７月10日までに申告・納付することになる)。

⑵　保険年度の中途で保険関係が成立した場合（翌日起算）

当該保険関係が成立した日の翌日から起算して50日以内に概算保険料を申告・納付しなければならない（例えば、６月１日に保険関係が成立した場合は７月21日が納期限となる)。

参考 第２種特別加入保険料は、その保険年度の６月１日から40日以内〔保険年度の中途に保険関係が成立したもの（＝保険年度の中途に特別加入の承認を受けた一人親方等の団体）については、当該保険関係が成立した日（＝当該団体について特別加入の承認があった日）から50日以内〕に申告・納付しなければならない。

③ 有期事業の納期限（法15条2項） 重要度 A ★★★

有期事業については、その**事業主**は、**労働保険料**を、その**労働保険料の額**その他厚生労働省令で定める**事項**を**記載**した**申告書**に添えて、**保険関係が成立した日**（当該**保険関係が成立した日の翌日**以後に労災保険法第34条第１項［**中小事業主等の特別加入**］の**承認**があった事業に係る**第１種特別加入保険料**に関しては、当該**承認があった日**）から**20日以内**に**納付**しなければならない。 H27-災9B R3-災9B

概要

有期事業（**一括有期事業**を**除く**）の事業主は、保険関係が成立した日の翌日から起算して**20日以内**に概算保険料を申告・納付しなければならない。

当該保険関係が成立した日の翌日以後に中小事業主等の特別加入の承認があった事業に係る第1種特別加入保険料に関しては、当該承認があった日から20日以内に納付しなければならない。

Check Point!

□ 有期事業については海外派遣者の特別加入は認められていないので、継続事業の場合と異なり第3種特別加入保険料の問題は生じない。

④ 申告・納付先（則38条1項〜4項） 重要度A ★★★

Ⅰ　**概算保険料申告書**は、**所轄都道府県労働局労働保険特別会計歳入徴収官**（以下「**所轄都道府県労働局歳入徴収官**」という。）に提出しなければならない。

Ⅱ　**概算保険料申告書**の提出は、一定の区分に従い、**日本銀行**（本店、支店、代理店及び歳入代理店をいう。以下同じ。）、**年金事務所**（日本年金機構法第29条の**年金事務所**をいう。以下同じ。）、**所轄労働基準監督署長**又は**所轄公共職業安定所長**を**経由**して行うことができる。

Ⅲ　労働保険料その他徴収法の規定による**徴収金**は、一定の区分に従い、**日本銀行**又は**都道府県労働局労働保険特別会計収入官吏**（以下「**都道府県労働局収入官吏**」という。）若しくは**労働基準監督署労働保険特別会計収入官吏**（以下「**労働基準監督署収入官吏**」という。）に**納付**しなければならない。

Ⅳ　**労働保険料**（**印紙保険料**を**除く**。）その他徴収法の規定による**徴収金**の納付は、**納入告知書**に係るものを除き**納付書**によって行なわなければならない。 R3-災9A

概要

概算保険料申告書の提出の流れは、次の通りである。

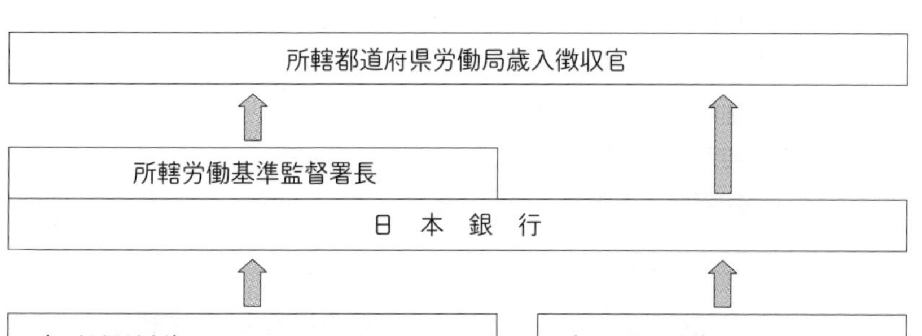

〈一般保険料〉
・一元・委託なし(雇用のみ成立を除く)
・二元・労災
〈特別加入保険料〉
・二元・労災・第１種特別加入
・第２種特別加入
・第３種特別加入

〈一般保険料〉
・一元・委託あり
・一元・委託なし・雇用のみ
・二元・雇用
〈特別加入保険料〉
・一元・第１種特別加入

・図中の「委託あり（なし)」とは、労働保険事務組合に労働保険事務の処理を委託する（しない）の意味である。

1．申告・納付方法

一般保険料並びに特別加入保険料の申告及び納付は、概算保険料申告書を所轄都道府県労働局歳入徴収官に提出し、概算保険料を納付書により日本銀行、都道府県労働局収入官吏又は労働基準監督署収入官吏に納付することによって行う。

H30-雇9エ

2．日本銀行又は所轄労働基準監督署長を経由して申告書を提出できる場合

次の一般保険料並びに特別加入保険料の**申告書の提出**は、**日本銀行、年金事務所**（後述4.の要件に該当する場合に限る）又は**所轄労働基準監督署長**を経由することができ、**保険料**は、**日本銀行又は都道府県労働局収入官吏若しくは労働基準監督署収入官吏に納付**する。

⑴　**一般保険料**

①　**一元適用事業**であって**労働保険事務組合**に事務処理を**委託しない**もの（**雇用保険に係る保険関係のみ**が成立している事業を**除く**）についての一般保険料

②　**労災保険**に係る保険関係が成立している事業のうち**二元適用事業**についての一般保険料

(2)　**特別加入保険料**

①　**労災保険**に係る保険関係が成立している事業のうち**二元適用事業**についての**第1種特別加入保険料**

②　**第2種特別加入保険料**

③　**第3種特別加入保険料**　（則1条3項1号、則38条2項2号、5号、3項1号）

3. 日本銀行を経由して申告書を提出できる場合

次の一般保険料並びに特別加入保険料の**申告書の提出**は、**日本銀行**又は**年金事務所**（後述4.の要件に該当する場合に限る）を経由することができ、**保険料**は、**日本銀行又は都道府県労働局収入官吏に納付**する。

(1)　**一般保険料**

①　**一元適用事業**であって**労働保険事務組合**に事務処理を**委託する**ものについての一般保険料

②　**一元適用事業**であって**労働保険事務組合**に事務処理を**委託しない**もののうち**雇用保険に係る保険関係のみ**が成立している事業についての一般保険料 H30-雇9オ

③　**雇用保険**に係る保険関係が成立している事業のうち**二元適用事業**についての一般保険料

(2)　**特別加入保険料**

一元適用事業についての**第1種特別加入保険料**

（則1条3項2号、則38条2項3号、6号、3項2号、整備省令18条）

4. 年金事務所を経由して申告書を提出できる場合

次のすべてを満たす場合は、**労働保険料申告書の提出**を、年金事務所を経由して行うことができる。

(1)　**概算保険料申告書**（**増加概算保険料申告書を除く**）又は**確定保険料申告書**であること

(2)　**継続事業**についての一般保険料に係るものであること

(3)　**社会保険適用事業所**（健康保険・厚生年金保険の適用事業所）の事業主が**6月1日から40日以内に提出するもの**であること

(4)　**労働保険事務組合**に労働保険事務の処理を**委託するものでない**こと

(5)　労働保険料の納付を**口座振替**により金融機関に委託して**行うものでない**こと R4-災8E　（則38条2項）

参考（電子申請義務化）
現在、政府全体で行政手続コスト（行政手続に要する事業者の作業時間）を削減するため、電子申請の利用促進を図っており、当該取組の一環として、特定の法人の事業所に係る労働保険・社会保険に関する一部の手続について、電子申請が義務化されることとなった（令和２年４月施行）。
徴収法においては、**継続事業**（**一括有期事業を含む。**）を行う事業主が提出する「**概算保険料申告書**」、「**確定保険料申告書**」及び「**増加概算保険料申告書**」が当該義務化の対象とされている（ただし、電気通信回線の故障や災害などの理由により、電子申請が困難と認められる等一定の場合には電子申請によらない方法により届出が可能である）。
なお、特定の法人とは、「資本金、出資金又は銀行等保有株式取得機構に納付する拠出金の額が１億円を超える法人」、「保険業法に規定する相互会社」、「投資信託及び投資法人に関する法律に規定する投資法人」及び「資産の流動化に関する法律に規定する特定目的会社」をいう。 （則24条３項、則25条３項、則33条２項）

（社会保険・労働保険手続に関するワンストップ化）
労働保険等の適用事務に係る事業主の事務負担の軽減及び利便性の向上のため、徴収法等に基づく手続のうち、届出契機が同一のものについて、ワンストップでの届出が可能となるよう届出先の経由規定が改正された。なお、これに併せて、より簡素に手続が行えるよう、各届書を一つづりとした届出様式が用意されている。
具体的には、徴収法第４条の２に規定する労働保険関係成立届（有期事業、労働保険事務組合に労働保険事務の処理が委託されている事業及び二元適用事業に係るものを除く。）について、一元適用の継続事業の事業主が、健康保険法及び厚生年金保険法上の「新規適用届」又は雇用保険法上の「適用事業所設置届」に併せて提出する場合においては、年金事務所、労働基準監督署長又は公共職業安定所長を経由して提出することができるものとする。
なお、この場合、事業主が提出する概算保険料申告書についても同様に、年金事務所、労働基準監督署長又は公共職業安定所長を経由して提出することができるものとする（令和２年１月１日施行）。

⑤ 継続事業（一括有期事業を含む）の納付額 重要度A

1 一般保険料額の原則（法15条1項1号、則11条2号、則24条1項）

★★★

Ⅰ　**概算保険料**として納付すべき**一般保険料の額**は、その**保険年度**に**使用する**すべての**労働者**（**保険年度の中途**に**保険関係が成立**したものについては、当該**保険関係が成立した日**からその**保険年度の末日**までに**使用する**すべての**労働者**）に係る**賃金総額**（その額に**1,000円未満**の端数があるときは、その端数は、**切り捨てる。**）の**見込額**〔当該**保険年度**の**保険料算定基礎額**（賃金総額）の**見込額**が、**直前の保険年度**の**保険料算定基礎額**（賃金総額）の**100分の50以上100分の200以下**である場合にあっては、**直前の保険年度**に使用した**すべての労働者**に係る**賃金総額**〕に当該事業についての**一般保険料率**を**乗じて算定した額**とする。 R元-災8D R2-雇10E

Ⅱ　「**保険料算定基礎額**」とは、法第11条第1項［一般保険料の額］の賃金総額、法第13条の厚生労働省令で定める額の総額（第1種特別加入者の**特別加入保険料算定基礎額**の総額）、法第14条第1項の厚生労働省令で定める額の総額（第2種特別加入者の**特別加入保険料算定基礎額**の総額）又は法第14条の2第1項の厚生労働省令で定める額の総額（第3種特別加入者の**特別加入保険料算定基礎額**の総額）（これらの額に**1,000円未満**の端数があるときは、その端数を切り捨てた額）をいう。

Check Point!

□ 継続事業については、保険年度単位で労働保険料を納付することとされている。

1．原則

概算保険料として納付すべき一般保険料の額は、その保険年度に使用するすべての労働者（保険年度の中途に保険関係が成立したものについては、当該保険関係が成立した日からその保険年度の末日までに使用するすべての労働者）に係る賃金総額（**1,000円未満の端数は切り捨てる**）の**見込額**に当該事業についての一般保険料率を乗じて得た額となる。

一般保険料の額＝賃金総額の見込額×一般保険料率

2．賃金総額見込額の特例

賃金総額の見込額が、直前の保険年度の賃金総額の**100分の50以上100分の200以下**である場合の一般保険料の額は、**直前の保険年度の賃金総額**に当該事業についての一般保険料率を乗じて得た額となる。R3-雇10B

一般保険料の額＝前年度の賃金総額×一般保険料率

参考　1.「直前の保険年度に使用したすべての労働者に係る賃金総額」には、その保険年度中に使用した労働者に支払うことが具体的に確定した賃金であれば、その保険年度内に現実に支払われていないもの（例えば、3月中に賃金締切日があるが、4月1日以後に支払われる賃金）も含まれる。（昭和24.10.5基災収5178号）

2.令和元年度までは、保険年度の初日において64歳以上の労働者（短期雇用特例被保険者及び日雇労働被保険者を除く。）である「免除対象高年齢労働者」を使用する場合の一般保険料額は、以下の計算式によって算出していた。なお、賃金総額の見込額が、直前の保険年度の賃金総額の100分の50以上100分の200以下である場合の一般保険料額は、直前の保険年度に使用した高年齢労働者に係る高年齢者賃金総額に雇用保険率を乗じて得た額を減じた額となる。R2-雇10E

一般保険料の額＝賃金総額の見込額×一般保険料率 － 高年齢者賃金総額見込額×雇用保険率

2 特別加入保険料額（法15条1項2号、3号、則24条1項） ★★

概算保険料として納付すべき**第１種特別加入保険料**の額は、**特別加入保険料算定基礎額の総額**（その額に**1,000円未満**の端数があるときは、その端数は、**切り捨てる**。）の**見込額**に当該事業についての**第１種特別加入保険料率**を乗じて算定した額とする。

ただし、当該**保険年度**の**特別加入保険料算定基礎額の総額**の**見込額**が、**直前**の**保険年度**の**特別加入保険料算定基礎額の総額の100分の50以上100分の200以下**である場合の**第１種特別加入保険料**の額は、**直前**の**保険年度**における**特別加入保険料算定基礎額の総額**に当該事業についての**第１種特別加入保険料率**を乗じて算定した額とする。

1. 原則

第２種特別加入保険料の額、第３種特別加入保険料の額も第１種特別加入保険料の額と同様の取扱いとなる。したがって、原則の特別加入保険料の額は、次のとおりとなる。

第１種特別加入保険料の額＝特別加入保険料算定基礎額の総額の**見込額**×第１種特別加入保険料率
第２種特別加入保険料の額＝特別加入保険料算定基礎額の総額の**見込額**×第２種特別加入保険料率
第３種特別加入保険料の額＝特別加入保険料算定基礎額の総額の**見込額**×第３種特別加入保険料率

・特別加入保険料算定基礎額の総額に1,000円未満の端数があるときは切り捨てる。

2. 特別加入保険料算定基礎額の総額の見込額の特例

当該保険年度の特別加入保険料算定基礎額の総額の見込額が、直前の保険年度の特別加入保険料算定基礎額の総額の100分の50以上100分の200以下である場合は、直前の保険年度の特別加入保険料算定基礎額の総額を使用する。

問題チェック 予想問題

Ａ社の事業内容、賃金総額等が次の通りである場合、令和X1年度の概算保険料の額はいくらになるか。

・事業内容：小売業
・保険関係成立年月日：昭和60年４月１日

・令和X0年度及び令和X1年度の労災保険率：1000分の3
・令和X0年度及び令和X1年度の雇用保険率：1000分の15.5
・賃金総額等

令和X0年度の賃金総額	2,000万円	令和X1年度の賃金総額見込額	2,500万円
令和X0年度の第1種特別加入者（1名）の給付基礎日額	1万円	令和X1年度の第1種特別加入者（1名）の給付基礎日額見込額	2万円

解答 380,950円

令和X0年度の賃金総額（2,000万円）と令和X1年度の賃金総額見込額（2,500万円）を比較すると、100分の50以上100分の200以下であるため、令和X1年度の概算保険料は令和X0年度の賃金総額に基づいて算定する。また、第1種特別加入者の給付基礎日額も、令和X0年度（1万円）と令和X1年度（2万円）を比較すると、100分の50以上100分の200以下であるため、令和X0年度（1万円）の額に基づいて、第1種特別加入保険料の概算額を算定する。

$$(2{,}000\text{万円}+1\text{万円}\times365)\times\frac{3}{1000}+2{,}000\text{万円}\times\frac{15.5}{1000}=380{,}950\text{円}$$

❻ 有期事業の納付額 重要度A

1 一般保険料額（法15条2項1号）

★★★

有期事業については、**概算保険料**として**納付**すべき**一般保険料の額**は、その**事業**の**保険関係**に係る**全期間に使用するすべての労働者**に係る**賃金総額**（その額に**1,000円未満**の端数があるときは、その端数は、**切り捨てる**。）の**見込額**に当該**事業**についての**一般保険料率を乗じて得た額**とする。H29-雇8オ

概要

有期事業の場合、概算保険料として納付すべき一般保険料の額は、**その事業の保険関係に係る全期間に使用するすべての労働者に係る賃金総額**の**見込額**に当該事業についての**一般保険料率**（**労災保険率**）を乗じて得た額となる。H27-災9D

一般保険料の額＝賃金総額の**見込額**×一般保険料率（労災保険率）

Check Point!

□ 有期事業の場合の賃金総額は、保険年度単位ではなく、事業の全期間において使用するすべての労働者に支払う賃金総額を算定の基礎とするため、前年度の賃金総額を用いて概算保険料を算定することはない。

2 特別加入保険料額（法15条2項2号、3号）

★★

有期事業については、**概算保険料**として**納付**すべき**第１種特別加入保険料**の額は、**特別加入の承認に係る全期間**における**特別加入保険料算定基礎額**の**総額**（その額に**1,000円未満**の端数があるときは、その端数は、**切り捨てる**。）の**見込額**に当該**事業**についての**第１種特別加入保険料率**を乗じて算定した額とする。R5-災8B

概要

第２種特別加入保険料の額も第１種特別加入保険料の額と同様の取扱いとなるため、次の通りとなる。

第１種特別加入保険料の額＝ 特別加入保険料算定基礎額の総額の**見込額**×第１種特別加入保険料率
第２種特別加入保険料の額＝ 特別加入保険料算定基礎額の総額の**見込額**×第２種特別加入保険料率

・特別加入保険料算定基礎額の総額に1,000円未満の端数があるときは切り捨てる。

Check Point!

□ 有期事業については、海外派遣者の特別加入が認められていないので、第３種特別加入保険料という概念はない。

概算保険料の延納

① 概算保険料の延納（法18条） 重要度B

★★

政府は、厚生労働省令で定めるところにより、**事業主の申請**に基づき、その者が第15条［**概算保険料**］、第16条［**増加概算保険料**］及び第17条［**概算保険料の追加徴収**］の規定により納付すべき**労働保険料**を**延納**させることができる。

② 継続事業（一括有期事業を含む）の延納 重要度A

1 延納の要件（則27条1項）

★★★

有期事業以外の事業であって**納付**すべき**概算保険料の額**が**40万円**（**労災保険**に係る**保険関係又は雇用保険**に係る**保険関係のみ**が**成立**している事業については、**20万円**）**以上**のもの又は当該**事業**に係る**労働保険事務の処理**が**労働保険事務組合**に**委託**されているもの（当該**保険年度**において**10月1日以降に保険関係が成立**したものを**除く**。）についての**事業主**は、**概算保険料**の**申告書**を提出する際に**延納の申請**をした場合には、その**概算保険料**を**延納**することができる。 H29-災10オ R元-災8E

概要

継続事業（**一括有期事業を含む**）の場合、次の⑴及び⑵の要件を満たしていれば、概算保険料申告書を提出する際に申請することにより、概算保険料を延納することができる。

⑴　次のいずれかに該当していること。 H29-災10オ R5-雇8D

① 納付すべき**概算保険料**の額が**40万円**（労災保険に係る保険関係又は雇用保険に係る保険関係のみが成立している事業については、**20万円**）**以上**の事業であること。

② 事業に係る労働保険事務の処理が**労働保険事務組合に委託されている事業**であること。

(2) 当該保険年度において**10月1日以降に保険関係が成立した事業ではない**こと。 R元-災8E

2 延納回数、納期限及び納付額（則27条）

★

Ⅰ **延納**をする**事業主**は、**概算保険料**を、**4月1日から7月31日**まで、**8月1日から11月30日**まで及び**12月1日から翌年3月31日**までの各期（当該**保険年度**において、**4月1日**から**5月31日**までに**保険関係が成立**した**事業**については**保険関係成立の日**から**7月31日**までを、**6月1日**から**9月30日**までに**保険関係が成立**した**事業**については**保険関係成立の日**から**11月30日**までを**最初の期**とする。）に分けて納付することができる。

Ⅱ **延納**をする**事業主**は、その**概算保険料の額**を**期の数**で除して得た額を**各期分**の**概算保険料**として、**最初の期分**の**概算保険料**についてはその**保険年度の6月1日から起算して40日以内**（当該**保険年度**において**4月1日**から**9月30日**までに**保険関係が成立**したものについての**最初の期分**の**概算保険料**は、**保険関係成立の日の翌日**から起算して**50日以内**）に、**8月1日から11月30日**までの期分の概算保険料については**10月31日**〔当該**事業**に係る**労働保険事務の処理**が**労働保険事務組合**に**委託**されているものについての**事業主**に係る**概算保険料**（以下「**委託**に係る**概算保険料**」という。）については**11月14日**〕までに、**12月1日から翌年3月31日**までの期分の**概算保険料**については**翌年1月31日**（**委託**に係る**概算保険料**については**翌年2月14日**）までに、それぞれ**納付**しなければならない。

概要

1．前保険年度より保険関係が引き続く場合

前保険年度より保険関係が引き続く場合は、1保険年度を3期に分け、3回に分けて納付することができる。

第4章第1節

なお、継続事業（一括有期事業を含む）であって、**労働保険事務の処理を労働保険事務組合に委託している**場合は、**第２期及び第３期の納期限は14日延長**される。

<table>
<tr><td>区分</td><td colspan="4">第１期</td><td colspan="4">第２期</td><td colspan="4">第３期</td></tr>
<tr><td rowspan="2">期間</td><td>４月</td><td>５月</td><td>６月</td><td>７月</td><td>８月</td><td>９月</td><td>10月</td><td>11月</td><td>12月</td><td>１月</td><td>２月</td><td>３月</td></tr>
<tr><td colspan="4">４月１日～７月31日</td><td colspan="4">８月１日～11月30日</td><td colspan="4">12月１日～
翌年３月31日</td></tr>
<tr><td>納期限</td><td colspan="4">７月10日
（６月１日から起算して40日以内）</td><td colspan="4">10月31日</td><td colspan="4">１月31日</td></tr>
<tr><td>労働保険事務組合に委託の場合</td><td colspan="4"></td><td colspan="4">11月14日</td><td colspan="4">２月14日</td></tr>
</table>

２．保険年度の中途に保険関係が成立した場合

⑴　延納回数

保険関係成立の日から翌年３月31日までを、上記1.の表中第１期から第３期の各期に分けて納付することができるが、保険関係成立の日からその日の属する期の末日までの期間が**２月以内**であるときは、**その期**と**次の期**とを**合わせた期間をもって最初の期**とする。具体的な延納回数は次の通りである。

<table>
<tr><td>区分</td><td colspan="4">第１期</td><td colspan="4">第２期</td><td colspan="4">第３期</td></tr>
<tr><td>月</td><td>４月</td><td>５月</td><td>６月</td><td>７月</td><td>８月</td><td>９月</td><td>10月</td><td>11月</td><td>12月</td><td>１月</td><td>２月</td><td>３月</td></tr>
<tr><td>保険関係が成立した日</td><td colspan="2">4/1～5/31</td><td colspan="4">6/1～9/30 R2-雇8A R3-雇10A</td><td colspan="6">10/1以後</td></tr>
<tr><td>分割回数</td><td colspan="2">３回</td><td colspan="4">２回</td><td colspan="6">延納することはできない</td></tr>
</table>

⑵　納期限

納期限については、第１回目は保険関係成立の日の翌日から起算して50日以内となり、３分割の場合は、２回目が上記1.の表中第２期の納期限である10月31日（11月14日）まで、３回目が同表中第３期の納期限である翌年１月31日（翌年２月14日）までとなり、２分割の場合は２回目が同表中第３期の納期限である翌年１月31日（翌年２月14日）までとなる。R2-雇8A R3-雇10A

Check Point!

□ 労働保険事務の処理を労働保険事務組合に委託している継続事業であっても、第１期の納期限は延長されない。H27-雇9D

1. 継続事業の延納の具体例（保険年度の中途に保険関係が成立した場合）

【例１】５月１日に保険関係が成立した場合

区分	第１期				第２期				第３期			
月	４月	５月	６月	７月	８月	９月	10月	11月	12月	１月	２月	３月

5/1成立

	第１回目	第２回目	第３回目
納期限	6/20	10/31(11/14)	1/31(2/14)

・第１期が２月を超えているので、第１期は成立し、３回に分けて納付することができる。

・第１回目の納期限は、保険関係成立日の翌日から起算して50日以内のため６月20日となる。

【例２】６月１日に保険関係が成立した場合

区分	第１期				第２期				第３期			
月	４月	５月	６月	７月	８月	９月	10月	11月	12月	１月	２月	３月

6/1成立

２月以内

	第１回目	第２回目
納期限	7/21	1/31(2/14)

・第１期が２月を超えていないので第１期は成立しない。この場合、第２期と合わせて６月から11月を第１回目、12月から翌年３月を第２回目として２回に分けて納付することができる。

・第１回目の納期限は、保険関係成立日の翌日から起算して50日以内のため７月21日となる。

第４章第１節

【例3】10月1日に保険関係が成立した場合 H29-災10ウ

区分	第1期				第2期				第3期			
月	4月	5月	6月	7月	8月	9月	10月	11月	12月	1月	2月	3月

10/1成立
2月以内
延納できない
納期限　11/20

・第2期が2月を超えていないので第2期は成立せず、第3期と合わせて保険料を納付することになるため延納はできず、納期限は、保険関係成立日の翌日から起算して50日以内のため11月20日となる。

2. 納付額 R3-雇10C

$$各期分の概算保険料の額=\frac{概算保険料の額}{期の数}$$

各期の納付額は、概算保険料額を期の数で除して得た額であるが、1円未満の端数は、第1期分に加えて納付する。H29-災10ア

【例1】概算保険料100万円を3期に分けて延納する場合

1,000,000÷3＝333,333.33333

各期の納付額　第1期　333,334円（1,000,000－333,333×2）
第2期　333,333円
第3期　333,333円

【例2】概算保険料200万円を3期に分けて延納する場合

2,000,000÷3＝666,666.66666

各期の納付額　第1期　666,668円（2,000,000－666,666×2）
第2期　666,666円
第3期　666,666円

（昭和43.3.12基発123号）

③ 有期事業の延納 重要度A

1 延納の要件（則28条1項）

★★★

有期事業であって**納付**すべき**概算保険料の額**が**75万円以上**のもの又は当該**事業**に係る**労働保険事務の処理**が**労働保険事務組合**に**委託**されているもの（**事業の全期間**が**6月以内**のものを**除く**。）についての**事業**

主は、概算保険料の申告書を提出する際に延納の申請をした場合には、その概算保険料を延納することができる。R3-災9B

概要

有期事業（**一括有期事業を除く**）の場合、次の(1)及び(2)の要件を満たしていれば、概算保険料申告書を提出する際に申請することにより、概算保険料を延納することができる。

(1) 次のいずれかに該当していること。

① 納付すべき**概算保険料**の額が**75万円以上**の事業であること。

② 事業に係る労働保険事務の処理が**労働保険事務組合に委託されている事業**であること。

(2) **事業の全期間が6月以内のものではない**こと。

問題チェック H10-災9D

一括有期事業については、概算保険料の額が75万円未満である場合又は労働保険の事務処理を労働保険事務組合に委託していない場合には、概算保険料を延納することができない。

解答 ×　法18条、則27条1項、昭和40.7.31基発901号

概算保険料の延納の規定において、一括有期事業は継続事業として扱われるため、継続事業の延納の要件を満たしていれば、事業主の申請により延納することができる。したがって、設問は誤り。

2 延納回数、納期限及び納付額（則28条）

★

Ⅰ　**延納**をする**事業主**は、**概算保険料**を、**その事業の全期間**を通じて、毎年**4月1日から7月31日**まで、**8月1日から11月30日**まで及び**12月1日から翌年3月31日**までの各期（**期の中途**に**保険関係**が**成立**した**事業**については、**保険関係成立の日**からその日の属する**期の末日**までの期間が**2月を超える**ときは**保険関係成立の日**からその日の属する**期の末日**までを、**2月以内**のときは**保険関係成立の日**から

その日の属する**期の次の期の末日**までを**最初の期**とする。）に**分けて納付**することができる。

Ⅱ　**延納**をする**事業主**は、その**概算保険料の額**を**期の数**で除して得た額を**各期分**の**概算保険料**として、**最初の期分**の**概算保険料**については**保険関係成立の日の翌日**から起算して**20日以内**に、**４月１日から７月31日**までの期分の**概算保険料**については**３月31日**までに、**８月１日から11月30日**までの期分の**概算保険料**については**10月31日**までに、**12月１日から翌年３月31日**までの期分の**概算保険料**については**翌年１月31日**までに、それぞれ**納付**しなければならない。

概要

１．第１期の期間と納期限

保険関係成立の日からその日の属する期の末日までの期間が２月を超える場合はその期の末日までを、２月以内の場合はその日の属する期の次の期の末日までを第１期とする。第１期分の概算保険料は、保険関係成立の日の翌日から起算して**20日以内**に納付しなければならない。

H29-災10イ　R2-雇8B　R5-雇8E

２．第２期以降の区分と納期限

延納する事業主は、概算保険料を、**その事業の全期間を通じて**、毎年４月１日から７月31日まで、８月１日から11月30日まで、12月１日から翌年３月31日までの各期に分けて納付することができる。H29-災10イ　R5-雇8E

	４月	５月	６月	７月	８月	９月	10月	11月	12月	１月	２月	３月
期間	４月１日～７月31日				８月１日～11月30日				12月１日～ 翌年３月31日			
納期限	**３月31日**				10月31日				１月31日			

Check Point!

□ 保険関係成立日の属する期が２月を超えないと１期が成立しない点は、継続事業の概算保険料の延納と同様である。

□ ４月１日から７月31日までの期の納期限が継続事業と異なっている点、労働保険事務の処理を労働保険事務組合に委託している場合であっても、納期限が14日間延長されない点に注意しよう。H27-雇9E

1. 有期事業の延納の具体例

【例1】5月1日に事業を開始（保険関係が成立）し、翌年の6月10日に事業が終了（6月11日に保険関係消滅）予定の場合

区分		第1期			第2期				第3期				第4期		
月	4月	5月	6月	7月	8月	9月	10月	11月	12月	1月	2月	3月	4月	5月	6月

5/1成立　　　　　　　　　　6/10終了

納期限　第1回目 5/21　第2回目 10/31　第3回目 1/31　第4回目 3/31

・保険関係成立日の属する期が2月を超えているので、その期は成立する。したがって、5月1日から7月31日までが第1期、8月1日から11月30日までが第2期、12月1日から翌年3月31日までが第3期、翌年4月1日から6月10日までが第4期となる。

・第1期分の納期限は保険関係成立日の翌日から起算して20日以内のため5月21日、第2期分の納期限は10月31日、第3期分の納期限は翌年1月31日、第4期分の納期限は翌年3月31日となる。

【例2】7月1日に事業を開始（保険関係が成立）し、翌年の6月10日に事業が終了（6月11日に保険関係消滅）予定の場合

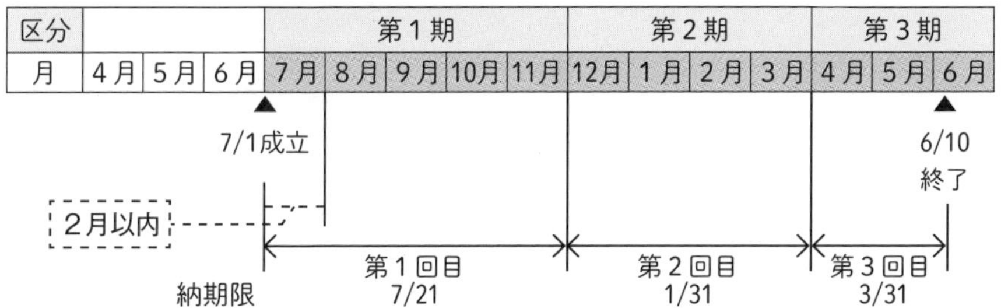

区分				第1期					第2期				第3期		
月	4月	5月	6月	7月	8月	9月	10月	11月	12月	1月	2月	3月	4月	5月	6月

・保険関係成立日の属する期が2月を超えていないので、その期は成立しない。したがって、7月1日から11月30日までが第1期、12月1日から翌年3月31日までが第2期、翌年4月1日から6月10日までが第3期となる。

・第1期分の納期限は保険関係成立日の翌日から起算して20日以内のため7月21日、第2期分の納期限は翌年1月31日、第3期分の納期限は翌年3月31日となる。

2. 納付額

$$各期分の概算保険料の額 = \frac{概算保険料の額}{期の数}$$

継続事業の場合と同様、各期の納付額は、概算保険料額を期の数で除して得た額であり、１円未満の端数は、第１期分に加えて納付する。H29-災10ア

増加概算保険料等

① 増加概算保険料（法16条、法附則5条、則25条1項、則附則4条）重要度 A

★★★

Ⅰ　**事業主**は、**保険料算定基礎額**の**見込額**が**増加**した場合において、**増加後**の**保険料算定基礎額**の**見込額**が**増加前**の**保険料算定基礎額**の**見込額**の**100分の200を超え、かつ、増加後**の**保険料算定基礎額**の**見込額**に基づき算定した**概算保険料の額**と**既に納付**した**概算保険料の額**との**差額が13万円以上**であるときは、その日から**30日以内**に、**増加後の見込額**に基づく**労働保険料の額**と**納付**した**労働保険料の額**との**差額**を、その額その他厚生労働省令で定める事項を記載した**申告書**に添えて**納付**しなければならない。R3-雇10D R3-災9C

Ⅱ　**事業主**は、**労災保険**に係る**保険関係のみ**が**成立**している**事業**又は**雇用保険**に係る**保険関係のみ**が**成立**している**事業**が、**労災保険及び雇用保険に係る保険関係**が**成立**している**事業**に該当するに至ったため当該**事業**に係る**一般保険料率**が**変更**した場合において、**変更後**の**一般保険料率**に基づき算定した**概算保険料の額**が**既に納付**した**概算保険料の額**の**100分の200を超え、かつ**、その**差額**が**13万円以上**であるときは、その日から**30日以内**に、**変更後**の**一般保険料率**に基づく**労働保険料の額**と**納付**した**労働保険料の額**との**差額**を、その額その他厚生労働省令で定める事項を記載した**申告書**に添えて**納付**しなければならない。R4-雇9AB

概要

保険年度又は事業期間の中途において、労働者数の増加、賃金の上昇等により賃金総額の見込額が増加し、あるいは成立している保険関係の拡大により当該事業に係る一般保険料率が増大した場合には、その増加に見合った労働保険料を申告・納付することとされている。これを増加概算保険料という。

第4章 第1節

増加概算保険料を申告・納付しなければならない場合には、次の２つがある。

(1) 保険料算定基礎額（賃金総額又は特別加入保険料算定基礎額の総額をいう）の見込額が増加した場合…前記Ⅰ

(2) 労災保険又は雇用保険のみが成立していた事業が両保険とも成立するに至ったため一般保険料率が変更した場合…前記Ⅱ

Check Point!

□ 増加概算保険料の要件等をまとめると、次の通りとなる。

増加理由	要　件	納期限等
保険料算定基礎額の見込額が増加した場合	増加**前**の保険料算定基礎額の見込額 × **200/100** < 増加**後**の保険料算定基礎額の見込額 **かつ** 増加**後**の保険料算定基礎額の見込額に基づき算定した概算保険料の額 − **既に納付**した概算保険料の額 ≧ **13万円**	増加が見込まれた日の**翌日から起算**して**30日以内**に**納付書**により納付
両保険とも成立するに至った場合	**既に納付**した概算保険料の額 × **200/100** < 変更**後**の一般保険料率に基づき算定した概算保険料の額 **かつ** 変更**後**の一般保険料率に基づき算定した概算保険料の額 − **既に納付**した概算保険料の額 ≧ **13万円**	一般保険料率が変更された日の**翌日から起算**して**30日以内**に**納付書**により納付

□ 保険料算定基礎額の見込額が減少した場合にその減少分の労働保険料が保険年度の中途において還付されるといった規定は設けられていない。

・**増加概算保険料の延納**

(1) **延納の要件**

概算保険料について延納が認められている事業主は、増加概算保険料申告

書を提出する際に延納の申請をすることにより増加概算保険料についても延納することができる。H27-雇9A

⑵ **延納回数**

増加概算保険料の延納の場合、最初の期は**2月を超えなくても成立させる**点が、概算保険料の延納と大きく異なる。R2-雇8C

⑶ **納期限**

① **最初の期分**の増加概算保険料は、保険料算定基礎額の**増加が見込まれた日**又は一般保険料率が**変更された日の翌日から起算して30日以内**に納付しなければならない。R2-雇8C

② **最初の期以外**の各期分は次表の納期限までに納付しなければならない。

各期の区分	納期限（最初の期を除く）	
	継続事業	有期事業
4/1～7/31		3/31※1
8/1～11/30	10/31（11/14※2）	10/31
12/1～翌年3/31	翌年1/31（翌年2/14※2）	翌年1/31

※1　この3月31日は年度をまたいで行われる場合の納期限である（有期事業は、事業の全期間で概算保険料の額を算定するので年度をまたぐ全期間が算定の対象となる。）。

※2　労働保険事務の処理を労働保険事務組合に委託している場合の納期限である。

⑷ **増加概算保険料の延納の具体例**

【例1】継続事業において、保険料算定基礎額の増加見込日が7月20日である場合（その前にすでに第1期分の概算保険料を納付していたものとする）

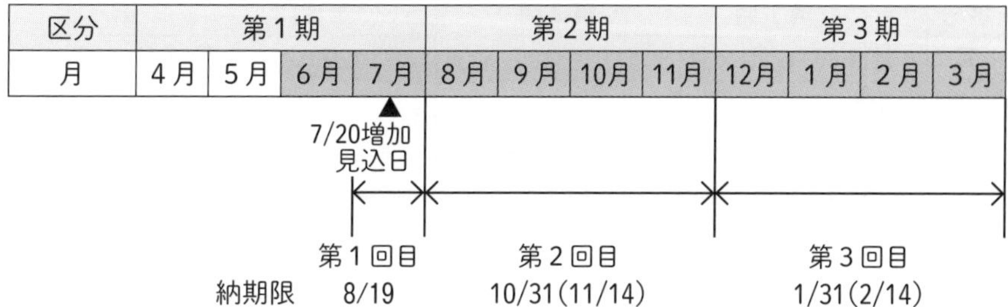

・2月を超えていなくても期は成立するので、第1期は成立し、3回に分けて納付することができる。

・第1期の納期限は、保険料算定基礎額の増加見込日の翌日から起算して30日以内のため8月19日となる。

【例２】継続事業において、増加見込日が11月20日である場合〔７月10日までに第１期分の概算保険料を納付し、10月31日（11月14日）までに第２期分の概算保険料を納付しているものとする〕

区分	第１期				第２期				第３期			
月	４月	５月	６月	７月	８月	９月	10月	11月	12月	１月	２月	３月

11/20増加見込日

第１回目　第２回目
納期限　12/20　1/31(2/14)

・11月20日は第２期に属しているので、第２期は成立する。したがって、２回に分けて延納することができる。

・第２期の納期限は、増加見込日の翌日から起算して30日以内のため12月20日となる。

【例３】「最初の期の次の期分」の納期限が、「最初の期分」の納期限よりさきに到来することとなる場合

「最初の期の次の期分」の納期限が、「最初の期分」の納期限よりさきに到来することとなる場合には、保険料算定基礎額の増加が見込まれた日（一般保険料率が変更した日）の翌日から起算して30日以内（最初の期分の納期限まで）に「最初の期分」と「最初の期の次の期分」の増加概算保険料を合わせて納付することとなる。今現在、この問題が発生するのは有期事業の場合に限られ、例えば次のようなケースが想定できる。

・５月１日に事業を開始（保険関係が成立）し、翌年の６月10日に事業が終了（６月11日に保険関係消滅）予定の場合で、３月10日に増加が見込まれたとき

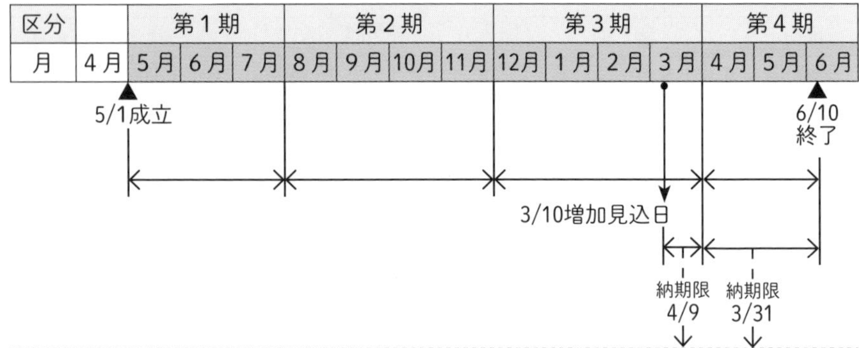

区分		第１期			第２期				第３期				第４期		
月	４月	５月	６月	７月	８月	９月	10月	11月	12月	１月	２月	３月	４月	５月	６月

・３月10日は第３期に属しているので、第３期は成立する。
・第３期の増加概算保険料の納期限は４月９日となる。
・第４期の増加概算保険料の納期限は３月31日であり、第３期分と第４期分の納期限が逆転している。このような場合は、第３期分と第４期分の増加概算保険料を合わせて第３期分の納期限である４月９日に納付することとなる。

(5) **納付額**

延納する増加概算保険料の各期分の納付額は、増加概算保険料の額を延納に係る期の数で除して得た額であり、1円未満の端数は、最初の期分に加えて納付する。 (則30条)

問題チェック R3-災9C

労働保険徴収法第16条の厚生労働省令で定める要件に該当するときは、既に納付した概算保険料と増加を見込んだ賃金総額の見込額に基づいて算定した概算保険料との差額（以下「増加概算保険料」という。）を、その額その他厚生労働省令で定める事項を記載した申告書に添えて納付しなければならないが、当該申告書の記載事項は増加概算保険料を除き概算保険料申告書と同一である。

解答 ✕ 法15条1項、2項、法16条、則24条2項、則25条2項

増加概算保険料の申告書の記載事項としては、「保険料算定基礎額の見込額が増加した年月日」「増加後の保険料算定基礎額の見込額」が規定されており、概算保険料申告書と同一ではない。

② 概算保険料の追加徴収（法17条、則26条） 重要度 A

★★★

Ⅰ **政府**は、**一般保険料率**、**第１種特別加入保険料率**、**第２種特別加入保険料率**又は**第３種特別加入保険料率**の**引上げ**を行ったときは、**労働保険料**を**追加徴収**する。

Ⅱ **政府**は、Ⅰの規定により**労働保険料**を**追加徴収**する場合には、**通知を発する日**から起算して**30日を経過した日**をその**納期限**と定め、**事業主**に対して、その**納付すべき労働保険料の額**、その**算定の基礎となる事項**及び**納期限**を**通知**しなければならない。

概要

政府が**保険年度の中途**で保険料率の改定を行い、**一般保険料率**、**第１種特別加入保険料率**、**第２種特別加入保険料率**又は**第３種特別加入保険料率**を**引き上げた**場合には、労働保険料を追加徴収することとされている。R4-雇9E

追加徴収される概算保険料の納期限は、**通知を発する日から起算して30**

日を経過した日（当日起算）となる。追加徴収の通知は、所轄都道府県労働局歳入徴収官が**納付書**により行う。H30-災9ウ R4-雇9E（則26条、則38条４項、５項）

Check Point!

- □ 概算保険料の追加徴収は、増加概算保険料の場合と異なり、増加額の多少を問わず行われる。H30-災9ア
- □ 保険年度の中途において、一般保険料率の引下げを行った場合、引下げ額に相当する部分が還付されるといった規定は設けられていない。H30-災9イ R4-雇9D

・追加徴収される概算保険料の延納

概算保険料について延納が認められている事業主は、通知により指定された納期限までに延納の申請をすることにより追加徴収される概算保険料についても延納することができる。H27-雇9B H30-災9エ

なお、追加徴収される概算保険料の延納回数及び各期の納期限は、増加概算保険料の延納の場合と同様であるが、最初の期分の追加徴収される概算保険料は、通知により指定された納期限までに納付しなければならない。（則31条）

③ 概算保険料の認定決定（法15条3項、4項）重要度A ★★★

Ⅰ　**政府**は、**事業主**が**概算保険料**の**申告書**を**提出しない**とき、又はその**申告書**の**記載に誤りがある**と認めるときは、**労働保険料の額**を**決定**し、これを**事業主**に**通知**する。R3-災9D

Ⅱ　Ⅰの規定による**通知**を受けた**事業主**は、納付した**労働保険料の額**がⅠの規定により**政府**の**決定**した**労働保険料の額**に足りないときはその**不足額**を、納付した労働保険料がないときはⅠの規定により**政府**の**決定**した**労働保険料**を、その**通知を受けた日**から**15日以内**に**納付**しなければならない。R3-災9E

趣旨

労働保険料は、原則として、事業主が自主的に申告・納付するもの（申告納付方式）とされているが、事業主が申告・納付を行わないとき等一定の場

合には、政府は、職権により、事業主が申告・納付すべき正しい概算保険料の額を決定し、事業主に通知することとされている。

Check Point!

- □ 認定決定された概算保険料の納期限は、通知を受けた日の翌日から起算して15日以内となる。
- □ 概算保険料の認定決定の通知は納付書により行われる（確定保険料や印紙保険料の認定決定の通知は納入告知書により行われる）。
  H29-雇8ウ（則38条4項、5項）
- □ 増加概算保険料については認定決定は行われない。
  H29-災10エ　H30-災9オ　R4-雇9C
- □ 認定決定された概算保険料も延納することができる。R3-雇10E
- □ 概算保険料の認定決定の場合、確定保険料や印紙保険料の認定決定の場合と異なり、追徴金は徴収されない。

・認定決定された概算保険料の延納

認定決定された概算保険料も通常の概算保険料と同様の要件を満たせば、同様の方法で延納することができる。ただし、最初の期分については、認定決定の通知を受けた日の翌日から起算して15日以内に納付しなければならない。

H29-災10エ（則29条）

第4章 第2節

確定保険料・口座振替納付

1 確定保険料の申告・納付

❶ 継続事業（一括有期事業を含む）の申告期限

❷ 有期事業の申告期限

❸ 確定保険料の納期限

❹ 申告・納付先

❺ 還付・充当

❻ 継続事業（一括有期事業を含む）の申告額

❼ 有期事業の申告額

❽ 確定保険料の認定決定

❾ 追徴金の徴収

2 口座振替納付

❶ 口座振替による納付

確定保険料の申告・納付

① 継続事業（一括有期事業を含む）の申告期限（法19条1項）重要度A

★★★

事業主は、**保険年度ごと**に、**労働保険料の額**その他厚生労働省令で定める事項を記載した**申告書**を、**次の保険年度**の**6月1日**から**40日以内**〔**保険年度の中途**に保険関係が**消滅**したものについては、当該保険関係が**消滅**した日（**保険年度の中途**に労災保険法第34条第1項［中小事業主等の特別加入］の**承認**が**取り消された**事業に係る第1種特別加入保険料及び**保険年度の中途**に労災保険法第36条第1項［海外派遣者の特別加入］の**承認**が**取り消された**事業に係る第3種特別加入保険料に関しては、それぞれ当該**承認**が**取り消された日**）から**50日以内**〕に提出しなければならない。R元-災9B

概要

1．前保険年度より保険関係が引き続く場合の申告期限 R6-雇10A
　保険年度の**6月1日から起算して40日以内（7月10日まで）**

2．保険年度の中途に保険関係が消滅した場合の申告期限 R6-雇10A
　保険関係が**消滅した日から起算して50日以内** R5-雇8B
　【例】 4月30日に事業が廃止された場合は、保険関係消滅日は5月1日となり、申告期限は6月19日となる。

3．保険年度の中途に特別加入の承認が取り消された場合の申告期限
　保険年度の中途に中小事業主等の特別加入の承認が取り消された事業に係る第1種特別加入保険料及び保険年度の中途に海外派遣者の特別加入の承認が取り消された事業に係る第3種特別加入保険料に関しては、それぞれ当該承認が**取り消された日から50日以内** R元-災9B

Check Point!

- □ 確定保険料申告書は、納付した概算保険料の額が確定保険料の額以上の（納付すべき労働保険料がない）場合でも提出しなければならない。 H30-雇9イ
- □ 継続事業については、通常の場合、確定保険料の申告・納付期限は概算保険料の申告・納付期限と同日となるため、確定保険料の申告・納付手続と概算保険料の申告・納付手続とを同一用紙により一括して行うことができる。 R5-雇8C

参考 （一括有期事業の場合）
有期事業の一括により一括された個々の事業であって保険年度の末日において終了していないものは、その保険年度の確定保険料の対象から除外し、次年度の概算保険料の対象とする。
（昭和40.7.31基発901号）

（承認年月日）
脱退の承認申請に対する政府の承認年月日は、脱退申請の日から起算して30日の範囲内において脱退申請者が脱退を希望する日となる。
（平成13.3.30基発233号、平成26年厚労告386号）

② 有期事業の申告期限（法19条2項）

重要度 A ★★★

有期事業については、その**事業主**は、**労働保険料の額**その他厚生労働省令で定める事項を記載した**申告書**を、**保険関係**が**消滅した日**（当該保険関係が**消滅した日**前に労災保険法第34条第１項［中小事業主等の特別加入］の**承認**が**取り消された**事業に係る第１種特別加入保険料に関しては、当該**承認**が**取り消された日**）から**50日以内**に提出しなければならない。

概要

1．保険関係が消滅した場合の申告期限
保険関係が**消滅した日から起算して50日以内** R6-雇10B

2．保険関係が消滅した日前に特別加入の承認が取り消された場合の申告期限
保険関係が消滅した日前に中小事業主等の特別加入の承認が取り消された事業に係る第１種特別加入保険料に関しては、当該承認が**取り消された日から50日以内**

③ 確定保険料の納期限（法19条3項） 重要度A ★★★

事業主は、**納付**した**労働保険料**の額が**確定保険料**として**申告**した**労働保険料**の額に足りないときはその**不足額**を、**納付した労働保険料**がないときは**確定保険料**として**申告**した**労働保険料**を、**確定保険料**の**申告書**に添えて、**有期事業以外**の事業にあっては**次の保険年度の6月1日から40日以内**（**保険年度の中途**に**保険関係**が**消滅**したものについては、当該**保険関係**が**消滅した日**から**50日以内**）に、**有期事業**にあっては**保険関係**が**消滅した日**から**50日以内**に**納付**しなければならない。

H27-災9C　R3-雇10C

・**納期限**

納期限は確定保険料申告書の提出期限と同様である。

④ 申告・納付先（法19条3項、則36条1項、則38条） 重要度A

概要

1．納付すべき不足額等がある場合

「確定保険料申告書」にその不足額等を添えて所定の**納付書**により、申告・納付しなければならない。

(1)　確定保険料申告書の提出先

所轄都道府県労働局歳入徴収官（概算保険料申告書と同様の区分により、日本銀行、年金事務所又は所轄労働基準監督署長を経由して提出することができる）R5-雇8B

(2)　不足額等の納付先

概算保険料の納付先と同様の区分により、**納付書**により、**日本銀行又は都道府県労働局収入官吏若しくは労働基準監督署収入官吏**に納付する。

2．納付すべき不足額等がない場合

「確定保険料申告書」のみを、**所轄都道府県労働局歳入徴収官**に提出（概算保険料と同様の区分により年金事務所又は所轄労働基準監督署長を経由することができる）しなければならない。

Check Point!

- □ 確定保険料申告書のみを提出する場合（納付すべき労働保険料がない場合）は、日本銀行を経由して行うことはできない。R元-災9D
- □ 確定保険料は延納することができない。H27-雇9C

⑤ 還付・充当（法19条6項、則37条）

重要度 A ★★★

事業主が**納付**した**労働保険料の額**が、**確定保険料**として**申告**した額〔政府が労働保険料の額を決定（**認定決定**）した場合には、その決定した額。以下「確定保険料の額」という。〕を**こえる場合**には、**政府**は、厚生労働省令で定めるところにより、その**こえる額**を**次の保険年度の労働保険料**若しくは**未納の労働保険料**その他徴収法の規定による**徴収金**又は**未納の一般拠出金**（石綿による健康被害の救済に関する法律の規定により労災保険適用事業主から徴収する一般拠出金をいう。）その他同法の規定により準用する徴収法の規定による**徴収金**に**充当**し、又は**還付**する。H29-雇8ア R元-災9C R4-災8B R4-雇9A

概要

事業主は、納付した概算保険料の額が確定保険料の額を超える場合には、その超える額の還付を請求することができ、当該請求がない場合には、次の保険年度の概算保険料等の徴収金に充当される。

Check Point!

- □ 一般拠出金は、「労働保険料」ではないが、充当の対象とされる。

1. 還付

超過額の還付請求は、確定保険料申告書を提出する際（確定保険料の認定決定が行われた場合には、**通知を受けた日の翌日から起算して10日以内**）に**労働保険料還付請求書**を、官署支出官（予算決算及び会計令第１条第２号に規定する官署支出官をいう。以下同じ）又は所轄都道府県労働局労働保険特別会計資金前渡官吏（以下「**所轄都道府県労働局資金前渡官吏**」という）に提出することによって行わなければならない。R元-災9C R4-災8B

第4章 第2節

なお、**所轄労働基準監督署長**を**経由**して申告・納付できる労働保険料に係る**還付請求書**の場合は、**所轄都道府県労働局長**及び**所轄労働基準監督署長**を経由して**官署支出官**又は所轄**労働基準監督署長**を**経由**して**所轄都道府県労働局資金前渡官吏**に提出することとされている。（則36条）

参考 所轄労働基準監督署長を経由して申告・納付できる労働保険料とは、次の一般保険料並びに特別加入保険料である。
①**一元適用事業**であって労働保険事務組合に事務処理を**委託しない**もの（雇用保険に係る保険関係のみが成立している事業を除く）についての一般保険料
②**労災保険**に係る保険関係が成立している事業のうち**二元適用事業**についての一般保険料
③**労災保険**に係る保険関係が成立している事業のうち**二元適用事業**についての**第１種特別加入保険料**
④**第２種特別加入保険料**
⑤**第３種特別加入保険料**

2. 充当

還付請求がない場合には、超過額は次の保険年度の概算保険料又は未納の労働保険料、**一般拠出金**等の徴収金に**充当**される。また、**所轄都道府県労働局歳入徴収官**が充当処理を行った場合は、その旨を**事業主に通知**しなければならない。

H29-雇8イ（則37条）

参考 「石綿による健康被害の救済に関する法律」により、石綿（アスベスト）健康被害者の救済費用に充てるため、労災保険の適用事業の事業主が負担することとされた「一般拠出金」の申告・納付が、平成19年４月１日から開始されている。R4-災8A
⑴一般拠出金の額
賃金総額（1,000円未満切捨て）に一般拠出金率を乗じて得た額が一般拠出金額となる。なお、当該一般拠出金の料率は、業種を問わず一律1000分の0.02である。
⑵納付方法
確定保険料の申告・納付と併せて行う。当該一般拠出金には概算納付の仕組みはなく、確定納付のみの手続となる。
⑶その他
①労災保険のメリット制の対象事業場であっても、当該一般拠出金については、メリット制は適用されない（一般拠出金率の割増や割引は行われない）。R4-災8A
②当該一般拠出金については、延納（分割納付）はできない。
③特別加入者や雇用保険のみの適用事業主は、当該一般拠出金の申告・納付の対象外である。

⑥ 継続事業（一括有期事業を含む）の申告額（法19条1項）

重要度 A ★★★

Ⅰ　確定保険料として申告すべき一般保険料の額は、その**保険年度**に**使用**したすべての**労働者**（**保険年度の中途**に**保険関係**が**成立**し、又は**消滅**したものについては、その**保険年度**において、当該**保険関係**が

成立していた期間に**使用**したすべての**労働者**）に係る**賃金総額**（その額に**1,000円未満**の端数があるときは、その端数は、**切り捨てる**。）に当該事業についての**一般保険料率**を乗じて算定した額とする。

Ⅱ　確定保険料として申告すべき特別加入保険料の額は、特別加入保険料算定基礎額の総額（**1,000円未満の端数は、切り捨てる**。）に当該事業についての第１種（第２種、第３種）特別加入保険料率を乗じて得た額とする。

概要

1. 一般保険料の算式

確定保険料として申告すべき一般保険料の額は、基本的にはその保険年度に実際に使用したすべての労働者に係る賃金総額に当該事業についての一般保険料率を乗じて得た額となる。

一般保険料の額＝賃金総額×一般保険料率

・賃金総額の1,000円未満の端数は切り捨てる。

2. 特別加入保険料の算式

第１種特別加入保険料の額＝特別加入保険料算定基礎額の総額×第１種特別加入保険料率 第２種特別加入保険料の額＝特別加入保険料算定基礎額の総額×第２種特別加入保険料率 第３種特別加入保険料の額＝特別加入保険料算定基礎額の総額×第３種特別加入保険料率

・特別加入保険料算定基礎額の総額の1,000円未満の端数は切り捨てる。

参考 令和元年度までは、保険年度の初日において64歳以上の労働者（短期雇用特例被保険者及び日雇労働被保険者を除く。）である「免除対象高年齢労働者」を使用する場合の一般保険料額は、以下の計算式によって算出していた。

一般保険料の額＝賃金総額×一般保険料率 － 高年齢者賃金総額×雇用保険率

⑦ 有期事業の申告額（法19条2項） 重要度 A ★★★

Ⅰ　**有期事業**については、確定保険料として申告すべき一般保険料の額は、その事業の保険関係に係る**全期間**に使用したすべての労働者に係る**賃金総額**（その額に**1,000円未満**の端数があるときは、その端数は、**切り捨てる**。）に当該事業についての**一般保険料率**を乗じて

第4章 第2節

算定した額とする。

Ⅱ　確定保険料として申告すべき**特別加入保険料**の額は、特別加入の承認に係る**全期間**における特別加入保険料算定基礎額の総額（**1,000円未満の端数は、切り捨てる**。）に当該事業についての**第1種（第2種）特別加入保険料率**を乗じて得た額となる。

概要

1．一般保険料額の算式

有期事業の場合、確定保険料として申告すべき一般保険料の額は、基本的にはその事業の保険関係に係る**全期間に実際に使用したすべての労働者に係る賃金総額**に当該事業についての一般保険料率（労災保険率）を乗じて得た額となる。

一般保険料の額＝賃金総額×一般保険料率（労災保険率）

・賃金総額の1,000円未満の端数は切り捨てる。

2．特別加入保険料額の算式

第1種特別加入保険料の額＝特別加入保険料算定基礎額の総額×第1種特別加入保険料率
第2種特別加入保険料の額＝特別加入保険料算定基礎額の総額×第2種特別加入保険料率

・特別加入保険料算定基礎額の総額の1,000円未満の端数は切り捨てる。

Check Point!

□ 有期事業については、海外派遣者の特別加入は認められていないので、第3種特別加入保険料という概念はない。H29-雇8エ

問題チェック H26-雇9イ

請負金額50億円、事業期間5年の建設の事業について成立した保険関係に係る確定保険料の申告書は、事業が終了するまでの間、保険年度ごとに、毎年、7月10日までに提出しなければならない。

解答 ×　　法19条2項

設問の事業は一括有期事業以外の有期事業である（請負金額が1億8,000万円未満ではない）ため、確定保険料の申告書は、「保険年度ごと」ではなく、保険関係が消滅した日から50日以内に提出しなければならない。

問題チェック 演習問題

B会社の事業内容、賃金総額等が次の通りであって、令和X1年度の概算保険料を延納するとした場合、令和X1年７月10日までに納付しなければならない労働保険料の額はいくらか。

・事業内容：小売業
・保険関係成立年月日：令和X0年４月１日
・令和X0年度及び令和X1年度の労災保険率：1000分の３
・令和X0年度及び令和X1年度の雇用保険率：1000分の15.5
・賃金総額等

令和X0年度の賃金総額見込額	3,000万円	令和X0年度の賃金総額（確定額）	3,600万円	令和X1年度の賃金総額見込額	3,800万円
令和X0年度の第１種特別加入者（１名）の給付基礎日額見込額	２万円	令和X0年度の第１種特別加入者（１名）の給付基礎日額（確定額）	２万円	令和X1年度の第１種特別加入者（１名）の給付基礎日額見込額	２万円

解答 340,300円

① 令和X0年度の概算保険料額

$$(3{,}000万円＋２万円×365)×\frac{3}{1000}＋3{,}000万円×\frac{15.5}{1000}＝576{,}900円$$

② 令和X0年度の確定保険料額

$$(3{,}600万円＋２万円×365)×\frac{3}{1000}＋3{,}600万円×\frac{15.5}{1000}＝687{,}900円$$

③ 令和X0年度の確定不足分

687,900円－576,900円＝111,000円

④ 令和X1年度の賃金総額見込額と令和X0年度の賃金総額を比較すると、100分の50以上100分の200以下であるため、令和X1年度の概算保険料は令和X0年度の確定保険料額と同額（687,900円）となる。

⑤ 令和X1年度の概算保険料を延納するとした場合、７月10日までに次のⒶとⒷの合計額を納付しなければならない。

・確定不足額　111,000円…Ⓐ（**確定不足額は延納できない**）
・延納する概算保険料のうち第１回目の納付額　687,900円÷３＝229,300円…Ⓑ

Ⓐ＋Ⓑ＝340,300円

⑧ 確定保険料の認定決定（法19条4項、5項）重要度A ★★★

Ⅰ　**政府**は、事業主が**確定保険料**の**申告書を提出しない**とき、又はその**申告書の記載に誤りがある**と認めるときは、**労働保険料の額**を**決定**し、これを**事業主**に**通知**する。R元-災9E　R5-雇8A

Ⅱ　Ⅰの規定による**通知**を受けた**事業主**は、納付した**労働保険料の額**がⅠの規定により**政府**の**決定**した**労働保険料の額**に足りないときはその**不足額**を、納付した**労働保険料**がないときはⅠの規定により**政府**の**決定**した**労働保険料**を、その**通知を受けた日**から**15日以内**に**納付**しなければならない。ただし、厚生労働省令で定める要件に該当する場合は、この限りでない。R元-災9E　R4-災8BD

概要

確定保険料についても、事業主が申告・納付を行わないとき等一定の場合には、政府は、職権により、事業主が申告・納付すべき正しい確定保険料の額を決定し、事業主に通知することとされている。

Check Point!

- □ 認定決定された確定保険料の納期限は、通知を受けた日の翌日から起算して15日以内となる。R元-災9E
- □ 確定保険料の認定決定の通知は納入告知書により行われる。

H29-雇8ウ（則38条4項、5項）

⑨ 追徴金の徴収（法21条、則26条）重要度A ★★★

Ⅰ　**政府**は、**事業主**が第19条第5項［確定保険料の認定決定］の規定による**労働保険料**又はその**不足額**を**納付**しなければならない場合には、その**納付すべき額**（その額に**1,000円未満**の端数があるときは、その端数は、**切り捨てる**。）に**100分の10**を乗じて得た額の**追徴金**を徴収する。ただし、**事業主**が天災その他やむを得ない理由により、同項の規定による**労働保険料**又はその**不足額**を**納付**しなけれ

ばならなくなった場合は、この限りでない。R4-災8D

Ⅱ　Ⅰの規定にかかわらず、Ⅰに規定する**労働保険料**又はその**不足額**が**1,000円未満**であるときは、Ⅰの規定による**追徴金**を徴収しない。R4-災8D

Ⅲ　**政府**は、Ⅰの規定により追徴金を徴収する場合には、**通知を発する日から起算して30日を経過した日**をその納期限と定め、事業主に対して、その納付すべき**追徴金の額**、その**算定の基礎となる事項**及び**納期限**を**通知**しなければならない。R6-雇10E

概要

確定保険料の認定決定により労働保険料又はその不足額を納付しなければならない場合は、追徴金が徴収される。

追徴金の額は、納付すべき額（**1,000円未満**の端数は切捨て）の**10%**である。

Check Point!

□ 追徴金の通知は、納入告知書で行われ、納期限は、通知を発する日から起算して30日を経過した日である。R6-雇10E

・「天災その他やむを得ない理由」

上記Ⅰ中「天災その他やむを得ない理由」とは、地震、暴風雨等不可抗力的なできごと及びこれに類する真にやむを得ない客観的な事故をいい、法令の不知、**営業の不振等**は含まれない。（平成15.3.31基発0331002号）

口座振替納付

① 口座振替による納付（法21条の2,1項） 重要度A ★★★

政府は、事業主から、**預金**又は**貯金**の**払出し**とその払い出した金銭による**印紙保険料以外**の**労働保険料の納付**（厚生労働省令で定めるものに限る。）をその**預金口座**又は**貯金口座**のある**金融機関**に**委託**して行うことを**希望**する旨の**申出**があった場合には、**その納付が確実**と認められ、かつ、その**申出**を**承認**することが**労働保険料の徴収上有利**と認められるときに限り、その**申出**を**承認**することができる。

H30-災10D　R6-災9AB

概要

口座振替により納付することができるのは、納付書によって行われる次の労働保険料である。R6-災9B

⑴　**概算保険料**（**延納**する場合を含む。）H30-災10A

⑵　**確定保険料**　（則38条の４）

Check Point!

□ 印紙保険料、追加徴収に係る概算保険料、認定決定された概算保険料又は確定保険料、追徴金、増加概算保険料、特例納付保険料は、口座振替による納付ができない。H27-災9E　H30-災10CE　R3-雇8C

1.　口座振替による納付の申出

口座振替の申出は、事業主の氏名又は名称及び住所又は所在地、預金口座又は貯金口座の番号及び名義人、預金又は貯金の種別並びに納付書を送付する金融機関及び店舗の名称を記載した書面を**所轄都道府県労働局歳入徴収官**に提出することによって行わなければならない。R2-雇9A　R6-災9C　（則38条の２）

2. 申告・納付の流れ

口座振替による納付が承認された場合は、次のような流れで申告・納付が行われる。

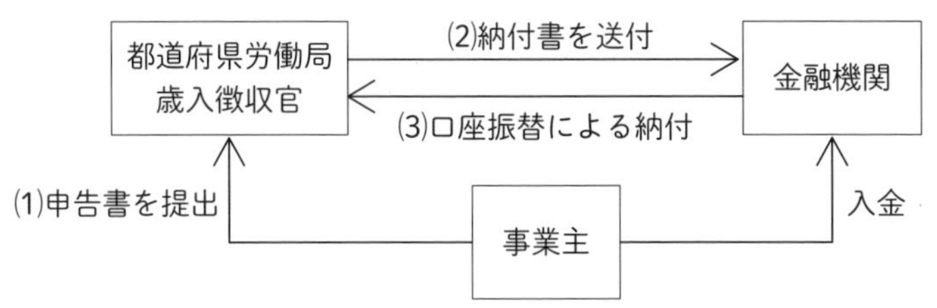

(1) 事業主は、概算保険料申告書及び確定保険料申告書を、所轄都道府県労働局歳入徴収官に提出する（この場合には日本銀行及び年金事務所を経由することはできない。）。 H30-災10B H30-雇9エ R6-災9D （則38条1項、2項7号）

(2) 申告書の提出を受けた所轄都道府県労働局歳入徴収官は、当該保険料の納付に関し必要な事項について金融機関に電磁的記録（情報通信技術活用法に規定する電磁的記録をいう。以下同じ。）を送付したときを除き、労働保険料の納付に必要な納付書を当該事業主の預金口座又は貯金口座のある金融機関に送付する。 R2-雇9B R6-災9E （則38条の3）

(3) 納付書又は電磁的記録が送付された金融機関は口座振替により納付するが、納付書又は電磁的記録が金融機関に到達した日から**2取引日を経過した最初の取引日**までに納付されていれば、納付期限後であっても期限内に納付したものとみなされる。この場合において、取引日とは金融機関の休日以外の日をいう。 R2-雇9B （則38条の5）

第4章 第3節

印紙保険料の納付等、特例納付保険料、滞納に対する措置

印紙保険料の納付等

① 印紙保険料の納付 重要度A

1 印紙保険料の納付義務者（法23条1項）

★★★

事業主（**元請負人**が**事業主**とされる場合にあっては、当該事業に係る**労働者**のうち**元請負人**が使用する**労働者**以外の**日雇労働被保険者**に係る**印紙保険料**については、当該**日雇労働被保険者を使用する下請負人**）は、**日雇労働被保険者**に**賃金を支払う都度**その者に係る**印紙保険料**を**納付**しなければならない。

Check Point!

- □ 事業主は、日雇労働被保険者に賃金を支払う都度その者に係る印紙保険料を納付しなければならない。
- □ 請負事業の一括の規定により元請負人が事業主とされる場合であっても、当該事業に係る労働者のうち下請負人が使用する日雇労働被保険者に係る印紙保険料の納付義務者は、下請負人である。H28-雇9A
- □ 事業主は、日雇労働被保険者については、印紙保険料に加えて、一般保険料も納付しなければならない。H28-雇9B

2 雇用保険印紙貼付による納付（法23条2項）

★★★

印紙保険料の納付は、**事業主**が、日雇労働被保険者に交付された**日雇労働被保険者手帳**に**雇用保険印紙**をはり、これに**消印**して行わなければならない。

概要

事業主は、日雇労働被保険者を使用した場合には、その者に**賃金を支払う**

都度、その使用した日数に相当する枚数の雇用保険印紙をその使用した日の**日雇労働被保険者手帳**における該当日欄にはり、**消印**しなければならない。

1. 日雇労働被保険者手帳の提出

印紙保険料の納付は、日雇労働被保険者手帳への雇用保険印紙の貼付・消印又は納付印の押なつによって行われるので、事業主は、日雇労働被保険者を使用する場合には、その者の日雇労働被保険者手帳を提出させ（その者から請求があったときは返還し）なければならない。R2-雇9C

また、日雇労働被保険者は、事業主に使用されたときは、**その都度日雇労働被保険者手帳**を事業主に**提出**しなければならない。（法23条6項、則39条）

2. 認印の印影の届出

事業主は、消印に使用すべき**認印の印影**をあらかじめ**所轄公共職業安定所長**に届け出なければならない。認印を変更しようとするときも同様である。

R2-雇9D（則40条2項）

3. 徴収に関する事務

印紙保険料の徴収に関する事務は、**所轄都道府県労働局歳入徴収官**が行う。

（則1条3項2号）

4. 罰則

日雇労働被保険者手帳に雇用保険印紙をはらず、又は消印しなかった事業主は6月以下の懲役又は30万円以下の罰金に処せられる。R5-雇9E（法46条1号）

問題チェック H8-雇9B

雇用保険印紙への消印により印紙保険料を納付する場合に、日雇労働被保険者への賃金支払を後払としたときであっても、その使用した日数に相当する枚数の雇用保険印紙をその使用した日の被保険者手帳における該当日欄へ貼付及び消印をする日は、原則として現実の賃金支払日である。

解答 ○　則40条1項

賃金を後払いとしたときであっても、雇用保険印紙を貼付し、消印を行う日は現実の賃金支払日となる。

3 納付印押なつによる納付（法23条３項、４項）

★★★

Ⅰ　**事業主**は、厚生労働省令で定めるところにより、**印紙保険料納付計器**を、**厚生労働大臣**の**承認**を受けて設置した場合には、第23条第２項の雇用保険印紙貼付による納付の規定にかかわらず、当該**印紙保険料納付計器**により、**日雇労働被保険者**が所持する**日雇労働被保険者手帳**に納付すべき**印紙保険料の額**に相当する金額を**表示**して**納付印を押す**ことによって**印紙保険料**を**納付**することができる。R5-雇9C

Ⅱ　**厚生労働大臣**は、Ⅰの**承認**を受けた事業主が、徴収法若しくは雇用保険法又はこれらの法律に基づく厚生労働省令の規定に**違反**した場合には、当該**承認**を取り消すことができる。

趣旨

印紙保険料は、雇用保険印紙を日雇労働被保険者手帳に貼付し、消印することにより納付するのが通常であるが、日雇労働被保険者を多数雇用する事業主の事務負担を軽減するために、印紙保険料納付計器による納付ができることとされている。

Check Point!

□ 印紙保険料の納付は、雇用保険印紙貼付による方法が原則とされている。

1.　納付方法

事業主は、日雇労働被保険者を使用した場合において、印紙保険料納付計器を用いて印紙保険料を納付するときは、その者に賃金を支払うつど、その使用した日の日雇労働被保険者手帳における該当日欄に納付印をその使用した日数に相当する回数だけ押さなければならない。R5-雇9C　（則44条）

参考「印紙保険料納付計器」とは、印紙保険料の保全上支障がないことにつき、厚生労働大臣の指定を受けた計器で、厚生労働省令で定める形式の印影を生ずべき印（納付印）を付したものをいう。（法23条３項カッコ書）

2.　始動票札

印紙保険料納付計器設置の承認を受けた者は、印紙保険料納付計器を使用する前に、始動金額（当該印紙保険料納付計器により表示することができる印紙保険料の額に相当する金額の総額）を都道府県労働局収入官吏に納付し、**都道府県労働局歳入徴収官**から**始動票札**（当該印紙保険料納付計器を始動するために必要な

票札）の交付を受けなければならない。（則49条１項、則51条２項）

3. 始動票札受領通帳

事業主は、始動票札の交付を受けようとするときは、あらかじめ、始動票札受領通帳交付申請書を納付計器に係る**都道府県労働局歳入徴収官**に提出して**始動票札受領通帳**の交付を受けなければならない。（則50条１項）

参考（印紙保険料納付計器の設置）
1.事業主は、印紙保険料納付計器の設置の承認を受けようとする場合には、印紙保険料納付計器設置承認申請書を当該印紙保険料納付計器を設置しようとする事業場の所在地を管轄する公共職業安定所長を経由して、納付計器に係る都道府県労働局歳入徴収官に提出しなければならない。
2.納付計器に係る都道府県労働局歳入徴収官は、印紙保険料納付計器設置承認申請書の提出があった場合には、事業主が印紙保険料納付計器設置の承認を取り消された日の翌日から起算して２年を経過するまでの者であるときその他保険料の保全上不適当と認められるときを除き、その承認を与えるものとする。（則47条）

（始動票札の交付を受ける方法）
1.事業主は、始動票札の交付を受けるためには、始動票札受領通帳に始動金額及び始動票札の交付を受けようとする年月日を記入し、納付計器に係る都道府県労働局歳入徴収官に提出しなければならない。
2.1.により始動票札の交付を受けようとする者は、始動金額を、あらかじめ当該印紙保険料納付計器を設置した事業場の所在地を管轄する都道府県労働局収入官吏に納付しなければならない。（則51条）

❷ 雇用保険印紙 重要度A

1 雇用保険印紙購入通帳（則42条1項）

★★★

事業主は、**雇用保険印紙**を購入しようとするときは、あらかじめ、**雇用保険印紙購入通帳交付申請書**を**所轄公共職業安定所長**に提出して、**雇用保険印紙購入通帳**の**交付**を受けなければならない。R5-雇9B

Check Point!

- □ 雇用保険印紙購入通帳の有効期間は、その交付の日の属する保険年度に限られているので、その後も使用する場合には、有効期間の更新を受けなければならない。R2-雇9E R6-雇9A（則42条２項、３項）
- □ 有効期間の更新は、有効期間満了日の翌日の１月前から有効期間満了日（３月１日から３月31日）までの間に、雇用保険印紙購入通帳を添えて雇用保険印紙購入通帳更新申請書を所轄公共職業安定所長に提出することによって行わなければならない。R2-雇9E（則42条４項）

1．更新後の有効期間

有効期間の更新を受けた場合の新たな雇用保険印紙購入通帳の有効期間は、更新前の通帳の有効期間満了日の翌日の属する保険年度となる。R6-雇9A

（則42条５項）

2．再交付

事業主は、雇用保険印紙購入通帳を滅失し、若しくはき損した場合又は雇用保険印紙購入通帳の雇用保険印紙購入申込書がなくなった場合であって、当該保険年度中に雇用保険印紙を購入しようとするときは、その旨を**所轄公共職業安定所長**に申し出て、再交付を受けなければならない。R6-雇9B（則42条６項）

3．返納

事業主は、雇用保険印紙購入通帳の有効期間が満了したとき又は事業の廃止等により雇用保険印紙を購入する必要がなくなったときは、**速やかに**、その所持する雇用保険印紙購入通帳を**所轄公共職業安定所長**に返納しなければならない。

R6-雇9C（則42条８項）

2 雇用保険印紙の購入（則43条1項）

★★★

事業主は、**雇用保険印紙**を購入しようとするときは、**雇用保険印紙購入通帳**の雇用保険印紙購入申込書に必要事項を記入し、**雇用保険印紙**を販売する**日本郵便株式会社の営業所**（**郵便**の業務を行うものに限る。以下同じ。）に提出しなければならない。

Check Point!

□ 事業主は、雇用保険印紙を譲り渡し、又は譲り受けてはならない。

H27-雇8B（則41条２項）

1．販売

雇用保険印紙を販売する日本郵便株式会社の営業所は、**総務大臣**が**厚生労働大臣**に**協議**して定めることとされている。（則41条１項）

2．種類

雇用保険印紙は、賃金日額の区分に応じて第１級、第２級及び第３級の３種類がある。

等級	賃金日額区分	印紙保険料
1	11,300円以上	**176円** H30-雇8A
2	8,200円以上11,300円未満	**146円**
3	8,200円未満	**96円**

（法22条１項、２項、則41条１項）

3. 消印を受けない雇用保険印紙の所持

事業主その他正当な権限を有する者を除いては、何人も消印を受けない雇用保険印紙を所持してはならない。（則41条３項）

3 雇用保険印紙の買戻し（則43条2項）

★★★

事業主は、**雇用保険印紙**を販売する**日本郵便株式会社の営業所**に**雇用保険印紙購入通帳**を提出し、その保有する**雇用保険印紙**の**買戻し**を申し出ることができる。

Check Point!

□ 日本郵便株式会社の営業所に雇用保険印紙の買戻しを申し出ることができるのは、次の３つの場合である。

雇用保険印紙の買戻し事由	要　件
雇用保険に係る保険関係が消滅したとき	あらかじめ**所轄公共職業安定所長**の**確認**を受ける
日雇労働被保険者を使用しなくなったとき（保有する雇用保険印紙の等級に相当する賃金日額の日雇労働被保険者を使用しなくなったときを含む）	
雇用保険印紙が変更されたとき	雇用保険印紙が変更された日から**6月間**内に申し出る R5-雇9D

（則43条２項、３項）

参考（印紙保険料納付計器を使用しなくなった場合）

1．事業主は、印紙保険料納付計器の全部又は一部を使用しなくなったときは、当該使用しなくなった印紙保険料納付計器を納付計器に係る都道府県労働局歳入徴収官に提示しなければならない。R6-雇9E

2．納付計器に係る都道府県労働局歳入徴収官は、1.の規定により事業主から印紙保険料

納付計器の提示を受けたときは、当該印紙保険料納付計器の封の解除その他必要な措置を講じなければならない。R6-雇9E

3．1.の事業主で印紙保険料納付計器の全部を使用しなくなったものが、印紙保険料納付計器を再び使用しようとするときは、則第47条第１項［印紙保険料納付計器の設置］の承認を受けなければならない。（則52条）

（差額の払戻し）
事業主は、次の⑴から⑶の場合において、当該⑴から⑶に該当するに至った際の始動票札を用いて印紙保険料納付計器により既に納付した印紙保険料の額の総額が、当該印紙保険料納付計器により表示することができる印紙保険料の額に相当する金額の総額（始動金額）に満たないときは、納付計器に係る都道府県労働局歳入徴収官に始動票札受領通帳を提出し、その差額に相当する金額の払戻しを申し出ることができる。
⑴印紙保険料納付計器の全部又は一部を使用しなくなったとき。
⑵印紙保険料納付計器により表示することができる印紙保険料の額に相当する金額の総額を変更したとき。
⑶印紙保険料納付計器の設置の承認が取り消されたとき。（則53条）

③ 帳簿の調製及び報告（法24条）重要度 A ★★★

事業主は、**日雇労働被保険者**を**使用**した場合には、厚生労働省令で定めるところにより、**印紙保険料の納付に関する帳簿**を備えて、**毎月**におけるその**納付状況**を**記載**し、かつ、**翌月末日**までに当該**納付状況**を**政府に報告**しなければならない。

Check Point!

☐ 日雇労働被保険者を１人も使用せず、雇用保険印紙の受払いのない月であっても、雇用保険印紙購入通帳の交付を受けている事業主は、その旨を翌月末日までに報告しなければならない。H28-雇9C

1．雇用保険印紙購入通帳の交付を受けている事業主 H28-雇9C

雇用保険印紙購入通帳の交付を受けている事業主は、**印紙保険料納付状況報告書**によって、毎月における雇用保険印紙の受払状況を**翌月末日**までに、**所轄公共職業安定所長を経由**して、所轄**都道府県労働局歳入徴収官**に**報告**しなければならない。（則54条、則78条）

2．印紙保険料納付計器を設置した事業主

印紙保険料納付計器を設置した事業主は、**印紙保険料納付計器使用状況報告書**によって、毎月における印紙保険料納付計器の使用状況を**翌月末日**までに、当該印紙保険料納付計器を設置した事業場の所在地を管轄する**公共職業安定所長を経由**して、納付計器に係る**都道府県労働局歳入徴収官**に**報告**しなければならない。

なお、雇用保険印紙と印紙保険料納付計器を併用して印紙保険料を納付する場合には、1.の「印紙保険料納付状況報告書」と併せて当該印紙保険料納付計器使用状況報告書を提出しなければならない。 R6-雇9D （則55条）

3. 罰則

法第24条の規定に違反して帳簿を備えておかず、帳簿に記載せず、若しくは虚偽の記載をし、又は報告をせず、若しくは虚偽の報告をした事業主は、**6月以下の懲役又は30万円以下の罰金**に処せられる。 H27-雇8C （法46条2号）

④ 印紙保険料の認定決定（法25条1項） 重要度 A

★★★

事業主が**印紙保険料の納付を怠った場合**には、**政府**は、その**納付すべき印紙保険料**の**額を決定**し、これを**事業主**に**通知**する。

概要

事業主が、毎月、都道府県労働局歳入徴収官に報告する印紙保険料納付状況報告書の内容調査及び職員による実地調査によって印紙保険料の納付を怠っていることが判明した場合、日雇労働被保険者の申出により事業主が印紙保険料の納付を怠っていることが発覚した場合及び正当な理由によって納付することができなかったことが判明した場合は、直ちに調査を行い、印紙保険料の額を認定決定し、**調査決定**のうえ**納入告知書**を発する。

（則38条5項、平成15.3.31基発0331002号）

Check Point!

- □ 認定決定された印紙保険料の納期限は、「調査決定をした日から20日以内の休日でない日」になる。 （平成15.3.31基発0331002号）
- □ 認定決定された印紙保険料及び追徴金は雇用保険印紙による納付ができず、現金により、日本銀行又は所轄都道府県労働局収入官吏に納付しなければならない。 H28-雇9E （則38条3項2号、平成15.3.31基発0331002号）

問題チェック H8-雇9E

印紙保険料を政府が認定決定したときは、納付すべき印紙保険料及び追徴金の納付については、雇用保険印紙の貼付及び消印によることができるほか、所轄都道府県労働局労働保険特別会計収入官吏に現金納付することにより行うことができる。

解答 ×　法25条１項、則38条３項２号、平成15.3.31基発0331002号

認定決定による保険料の納付は現金で行わなければならない。

⑤ 追徴金の徴収（法25条2項、3項、則26条） 重要度A

★★★

Ⅰ　**事業主**が、**正当な理由がない**と認められるにもかかわらず、**印紙保険料**の**納付を怠った**ときは、政府は、厚生労働省令で定めるところにより、第25条第１項［認定決定された印紙保険料］の規定により決定された**印紙保険料の額**（その額に**1,000円未満**の端数があるときは、その端数は、**切り捨てる**。）の**100分の25**に相当する額の**追徴金**を徴収する。ただし、**納付を怠った印紙保険料の額**が**1,000円未満**であるときは、この限りでない。H28-雇9D

Ⅱ　**政府**は、Ⅰの規定により**追徴金**を徴収する場合には、**通知を発する日から起算して30日を経過した日**をその**納期限**と定め、**事業主**に対して、その納付すべき**追徴金**の額、その算定の基礎となる事項及び**納期限**を**通知**しなければならない。

Check Point!

□ 認定決定等についてまとめると、次の通りである。

	概算保険料	確定保険料	印紙保険料
認定決定事由	・概算保険料申告書を提出しない ・概算保険料申告書の記載に誤りがある	・確定保険料申告書を提出しない ・確定保険料申告書の記載に誤りがある	印紙保険料を納付しない
納期限	通知を受けた日から**15日**以内		調査決定をした日から**20日**以内の休日でない日
通知・申告	納付書	**納入告知書**	
追徴金		納付すべき額の100分の**10**	納付すべき額の100分の**25**

・「正当な理由」

上記Ⅰの「正当な理由」とは次に該当する場合とする。

(1) 天災地変等により印紙の購入ができないため、印紙を貼付できなかったとき

(2) 日雇労働被保険者が手帳を事業場に持参しなかった場合に、その日に手帳を持参せしめることが困難であり、かつ、その後においても事業場で手帳に印紙を貼付する機会がないために印紙を貼付できなかったとき

(3) 日雇労働被保険者が事業主の督促にもかかわらず手帳を提出することを拒んだことによって印紙を貼付できなかったとき　（平成15.3.31基発0331002号）

特例納付保険料

① 特例納付保険料の納付等（法26条1項） 重要度 A

★★★

雇用保険法第22条第5項［**雇用保険遡及適用の特例**］に規定する者（以下「**特例対象者**」という。）を雇用していた事業主が、第4条［**保険関係の成立**］の規定により**雇用保険**に係る**保険関係**が**成立**していたにもかかわらず、第4条の2第1項［**保険関係成立届**］の規定による**届出をしていなかった**場合には、当該事業主（当該事業主の事業を承継する者を含む。以下「**対象事業主**」という。）は、**特例納付保険料**として、**対象事業主**が第15条第1項［**継続事業における概算保険料の納付**］の規定による**納付する義務**を**履行していない一般保険料**（雇用保険法第14条第2項第2号に規定する厚生労働省令で定める日から当該**特例対象者**の離職の日までの期間に係るものであって、その**徴収する権利が時効によって消滅しているものに限る**。）の額（**雇用保険率**に応ずる部分の額に**限る**。）のうち当該**特例対象者**に係る額に相当する額として厚生労働省令で定めるところにより算定した額（**基本額**）に厚生労働省令で定める額（**加算額**）を**加算した額**を納付することができる。

概要

雇用保険法の遡及適用の特例の対象者（**特例対象者**）に係る未納雇用保険料のうち、時効により既に徴収権が消滅したものについても、一定の要件を満たした場合に保険料を納付することができる。この規定に基づいて納付する保険料を**特例納付保険料**という（平成22年10月1日施行）。

Check Point!

□ 特例納付保険料の対象となるのは、特例対象者の離職の日までの期間に係る雇用保険料であって、その徴収する権利が時効によって消滅したも

のに限られる。R3-雇8A

□ 徴収する権利が時効によって消滅していない保険料については、確定保険料額に係る認定決定をし、徴収することとなる。

1．対象事業主

特例納付保険料の対象となる事業主は、**特例対象者を雇用**していた事業主であって、雇用保険に係る保険関係が成立していたにもかかわらず、当該**保険関係成立届を提出していなかった**事業主である。H27-雇10A

2．厚生労働省令で定める日

上記「雇用保険法第14条第２項第２号に規定する厚生労働省令で定める日」とは、雇用保険法施行規則第33条の２各号に定める書類（**賃金台帳等**）**に基づき確認**される被保険者の負担すべき額に相当する額がその者に支払われた賃金から控除されていたことが明らかとなる**最も古い日**とされている。

（雇用保険法施行規則33条１項）

参考（雇用保険遡及適用の特例）
次に掲げる要件のいずれにも該当する者（①**に規定する事実を知っていた者を除く**。）に対する雇用保険法第22条第４項［算定基礎期間の算定］の規定の適用については、同項中「当該確認のあった日の２年前の日」とあるのは、「②に規定する被保険者の負担すべき額に相当する額がその者に支払われた賃金から控除されていたことが明らかである時期のうち最も古い時期として厚生労働省令で定める日」とする。H27-雇10B
①その者に係る同法第７条［被保険者に関する届出］の規定による届出がされていなかったこと。
②厚生労働省令で定める書類に基づき、同法第９条［確認］の規定による被保険者となったことの確認があった日の２年前の日より前に徴収法第32条第１項の規定により被保険者の負担すべき額に相当する額がその者に支払われた賃金から控除されていたことが明らかである時期があること。
（雇用保険法22条５項）

❷ 特例納付保険料の額（則56条、則57条） 重要度B

★★

Ⅰ　法第26条第１項［特例納付保険料の納付等］に規定する厚生労働省令で定めるところにより算定した額（**基本額**）は、同項に規定する**特例対象者**に係る雇用保険法施行規則第33条第１項に規定する**最も古い日**から**１箇月**の間に支払われた**賃金の額**及び同施行規則第33条の２各号に定める**書類**に基づき**確認**される**被保険者**の負担すべき額に相当する額がその者に支払われた**賃金から控除**されていたことが**明らかである時期**の**直近１箇月**に支払われた**賃金の額**の**合計額**を**２**で**除した額**（当該**特例対象者**に係る当該**書類**に基づき**確認**される**被保険者**の負担すべき額に相当する額がその者に支払われた**賃金から控除**されていたことが**明らかである時期**の**すべての月に係る賃金が明らか**である場合は、当該**賃金の合計額**を**当該月数**で**除した額**）に、当該**書類**に基づき**確認**される**被保険者**の負担すべき額に相当する額がその者に支払われた**賃金**から**控除**されていたことが**明らかである時期**の**直近の日**の**雇用保険率**及び当該**最も古い日**から**被保険者**の負担すべき額に相当する額がその者に支払われた賃金から控除されていたことが明らかである時期の**直近の日**までの期間（法第４条の２第１項［**保険関係成立届**］の規定による届出をしていた期間及び法第19条第４項［**確定保険料の認定決定**］の規定により決定した労働保険料の額の算定の対象となった期間を**除く**。）に係る月数を乗じて得た額とする。

Ⅱ　Ⅰにより法第26条第１項［特例納付保険料の納付等］に規定する厚生労働省令で定めるところにより算定した額（**基本額**）を計算する場合に、Ⅰの期間に**１月未満**の**端数**があるときは、その**端数**は**切り捨てる**ものとする。

Ⅲ　法第26条第１項［特例納付保険料の納付等］に規定する厚生労働省令で定める額（**加算額**）は、ⅠⅡの規定により算定した**特例納付保険料の基本額**に**100分の10**を乗じて得た額とする。

概要

特例納付保険料の額は、上記ⅠⅡの額（基本額）と上記Ⅲの額（加算額）を合計した額である。H27-雇10C R3-雇8B

$$\text{特例納付保険料の額} = \text{基本額} + \text{加算額}\left(\text{基本額} \times \frac{10}{100}\right)$$

1.　基本額

「厚生労働省令で定めるところにより算定した額（基本額）」とは、次の額をいう。

⑴　特例納付保険料の対象期間の一部の月に係る賃金額が明らかである場合

{（対象期間の始点から1箇月の間に支払われた賃金 ＋ 対象期間の直近1箇月に支払われた賃金）÷ 2} × 対象期間の直近の雇用保険率 × 対象期間の月数※

※　保険関係成立の届出をしていた期間及び確定保険料の認定決定に係る額の算定の対象となった期間がある場合には、当該期間を除き、1月に満たない期間は切り捨てることとする。（則56条）

【例】賃金台帳等の確認書類により被保険者の負担すべき額に相当する額がその者に支払われた賃金から控除されていたことが明らかとなる最も古い日が4月1日であり、当該控除されていたことが明らかである時期の直近の日が8月31日である場合であって、4月、5月、8月の賃金額が明らかであるケース

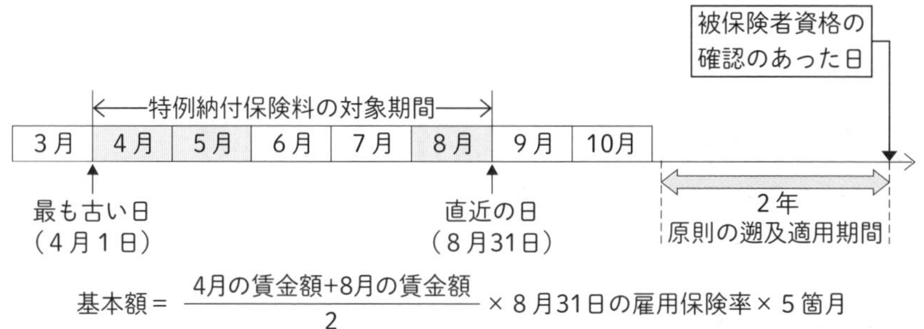

基本額＝（4月の賃金額+8月の賃金額）÷ 2 × 8月31日の雇用保険率 × 5箇月

⑵　特例納付保険料の対象期間のすべての賃金額が明らかである場合　H27-雇10E

（対象期間のすべての月の賃金の合計額 ÷ 対象期間のすべての月数）× 対象期間の直近の雇用保険率 × 対象期間の月数※

※　保険関係成立の届出をしていた期間及び確定保険料の認定決定に係る額の算定の対象となった期間がある場合には、当該期間を除き、1月に満たない期間は切り捨てることとする。（則56条）

【例】賃金台帳等の確認書類により被保険者の負担すべき額に相当する額がその者に支払われた賃金から控除されていたことが明らかとなる最も古い日が4月1日であり、当該控除されていたことが明らかである時期の直近の日が8月31日である場合であって、4月から8月のすべての賃金額が明らかであるケース

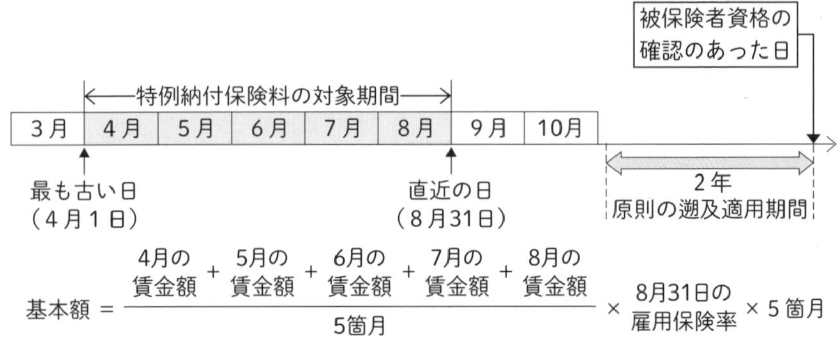

2.　加算額

特例納付保険料の加算額は、次の通りである。

$$\text{特例納付保険料の基本額} \times \frac{10}{100}$$

（則57条）

③ 特例納付保険料の納付の勧奨等

（法26条2項～5項） 重要度A ★★★

Ⅰ　**厚生労働大臣（都道府県労働局長）**は、**対象事業主**に対して、**特例納付保険料**の**納付を勧奨しなければならない。**ただし、やむを得ない事情のため当該**勧奨**を行うことができない場合は、この限りでない。

Ⅱ　**対象事業主**は、Ⅰの規定により**勧奨**を受けた場合においては、**特例納付保険料**を納付する旨を、厚生労働省令で定めるところにより、**厚生労働大臣（都道府県労働局長）**に対し、**書面**により**申し出ることができる。**

Ⅲ　**政府**は、Ⅱの規定による**申出**を受けた場合には、**特例納付保険料の額**を決定し、厚生労働省令で定めるところにより、**期限を指定**して、これを**対象事業主**に**通知するものとする。**

Ⅳ　**対象事業主**は、Ⅱの規定による**申出**を行った場合には、Ⅲの**期限までに**、厚生労働省令で定めるところにより、Ⅲに規定する**特例納付保険料**を**納付しなければならない。**

概要

厚生労働大臣から納付の勧奨を受けた対象事業主は、特例納付保険料を納付する旨を書面により厚生労働大臣に申し出ることができ、当該申出を行った場合には、政府が決定した額を、その指定期限までに納付しなければならない。

1. 特例納付保険料の納付の申出

上記Ⅱの特例納付保険料の納付の申出は、事業主の氏名又は名称及び住所又は所在地、労働保険番号並びに特例納付保険料の額を記載した書面を**都道府県労働局長に提出**することによって行わなければならない。

（則58条）

2. 特例納付保険料に係る通知 H27-雇10D R3-雇8E

所轄都道府県労働局歳入徴収官は、上記Ⅲの規定に基づき、特例納付保険料を徴収しようとする場合には、**通知を発する日から起算して30日を経過した日**をその納期限と定め、事業主に、次に掲げる事項を通知しなければならない。

① **特例納付保険料の額**

② **納期限**

なお、特例納付保険料の通知は、**納入告知書**によって行われる。

（則38条5項、則59条）

3. 特例納付保険料の納付

対象事業主は、特例納付保険料の納付の申出を行った場合には、**納入告知書**によって指定された期限までに特例納付保険料を納付しなければならない。

なお、納付先は、**日本銀行**又は**都道府県労働局収入官吏**とされている。

（則38条3項2号）

■**納期限等のまとめ**

<table>
<tr><th colspan="2"></th><th>納期限</th><th>通知</th></tr>
<tr><td colspan="2">増加概算保険料</td><td>増加が見込まれた日
又は
一般保険料率が変更された日
の翌日から起算して30日以内</td><td>—</td></tr>
<tr><td colspan="2">概算保険料の追加徴収</td><td>通知を発する日から起算して30日を経過した日</td><td rowspan="2">納付書</td></tr>
<tr><td rowspan="3">認定決定</td><td>概算保険料</td><td rowspan="2">通知を受けた日から15日以内</td></tr>
<tr><td>確定保険料</td><td rowspan="6">納入
告知書</td></tr>
<tr><td>印紙保険料</td><td>調査決定した日から20日以内の休日でない日</td></tr>
<tr><td rowspan="2">追徴金</td><td>確定保険料</td><td rowspan="4">通知を発する日から起算して30日を経過した日</td></tr>
<tr><td>印紙保険料</td></tr>
<tr><td colspan="2">特例納付保険料</td></tr>
<tr><td colspan="2">有期事業のメリット制適用により差額徴収される確定保険料※</td></tr>
</table>

※　詳しくは第5章 **2** において学習する。

滞納に対する措置

① 督促（法27条1項、2項）重要度 A

★★★

Ⅰ　**労働保険料**その他徴収法の規定による**徴収金**を**納付しない者**があるときは、**政府**は、**期限を指定**して**督促**しなければならない。 R元-雇8A R5-雇8A

Ⅱ　Ⅰの規定によって**督促**するときは、**政府**は、**納付義務者**に対して**督促状**を発する。この場合において、**督促状**により**指定すべき期限**は、**督促状を発する日から起算して10日以上経過した日**でなければならない。 R元-雇8C

Check Point!

□ 追徴金も督促の対象となる。

1．労働保険料その他徴収法の規定による徴収金

労働保険料その他徴収法の規定による徴収金とは、次に掲げるものである。

⑴　法定納期限までに納付すべき概算保険料 R元-雇8AB
⑵　認定決定に係る概算保険料
⑶　増加概算保険料
⑷　保険料率の引上げに伴う概算保険料の追加納付額
⑸　法定納期限までに納付すべき確定保険料及び確定不足額 R元-雇8B
⑹　認定決定に係る確定保険料及び確定不足額 R元-雇8B R5-雇8A
⑺　有期事業についてのメリット制の適用に伴う確定保険料の差額
⑻　追徴金 R元-雇8B
⑼　印紙保険料
⑽　認定決定に係る印紙保険料
⑾　印紙保険料に係る追徴金
⑿　特例納付保険料 R3-雇8D

2. 督促状により指定すべき期限

「督促状により指定すべき期限」は、労働保険料等についての法定納期限又は納入告知書による指定納期限を変更するものでなく、この期限までに労働保険料等の徴収金を納付しなかった場合は、滞納処分を行うという猶予期限を新たに指定するに過ぎないものである。

3. 督促状に記載した指定期限経過後に交付された督促状

督促は、納付義務者に自発的に納付させるための催告であるから、納付義務者が督促状を受領した後、督促に係る労働保険料等を納付するのに必要な時間的余裕がなければならない。したがって、督促状に記載した指定期限経過後に督促状が交付され、若しくは公示送達されたとしても、その督促は無効であり、これに基づいてなした滞納処分は違法となる。R元-雇8C

参考（督促の法的効果）
督促の法的効果は次のとおりである。
(1)指定期日までに督促に係る労働保険料等を完納しないときは滞納処分をなすべき旨を予告する効力を有し、滞納処分の前提要件となるものであること（民事上の強制執行の場合における債務名義の送達に相当するものであること）。
(2)時効の更新の効力を有すること。
(3)延滞金徴収の前提要件となること。

（納付義務者の住所又は居所が不明な場合）
納付義務者の住所又は居所が不明な場合は、公示送達（都道府県労働局の掲示場に掲示すること）の方法により督促することになる。H29-雇9D
公示送達の場合、掲示を始めた日から起算して７日を経過した日、すなわち掲示を始めた日を含めて８日目にその送達の効力が生じ、その末日が休日に該当しても延期されない。H29-雇9D
公示送達の場合において「督促状を発する日」とは、公示送達による公示を始めた日とされるので、督促状の指定期限は公示を始めた日から起算して10日以上経過した日でなければならない。（則61条、国税通則法14条、平成15.3.31基発0331002号）

問題チェック H15-雇8B

労働保険料を納付しない事業主があるときは、政府は期限を指定して督促しなければならないが、督促状に記載された指定期限を過ぎた後に督促状が交付された場合であっても、交付の日から10日経過した日以後は、滞納処分を行うことができる。

解答 ×　法27条

督促状に記載した指定期限経過後に督促状が交付されたとしても、その督促は無効であり、これに基づく滞納処分は違法となる。

② 滞納処分（法27条3項、法30条） 重要度 A ★★★

Ⅰ　第27条第１項の規定による**督促**を受けた者が、その**指定の期限**までに、**労働保険料**その他徴収法の規定による**徴収金**を**納付しない**ときは、**政府**は、**国税滞納処分の例**によって、これを**処分**する。

R3-雇8D　R4-雇10E

Ⅱ　**労働保険料**その他徴収法の規定による**徴収金**は、徴収法に別段の定めがある場合を除き、**国税徴収の例**により**徴収**する。R4-雇10E

1.「滞納処分」とは、労働保険料等の滞納金を強制的に徴収するため、滞納者の財産を差し押さえ、差押財産を換価してその代金をもって滞納金に充てる行政処分をいう。

R4-雇10E

2.徴収法に限らず、労働・社会保険各法の規定による徴収金の徴収手続においては、原則として、国税通則法や国税徴収法等が準用される。

③ 先取特権の順位（法29条） 重要度 A ★★★

労働保険料その他**徴収法**の規定による徴収金の**先取特権の順位**は、**国税**及び**地方税**に次ぐものとする。

Check Point!

□ 労働保険料等の先取特権の順位は、常に国税及び地方税の先取特権の順位に劣後することになる。

1.「先取特権」とは、法律で定められている一定の債権を有する者が、債務者の総財産又は特定の財産について、他の債権者に優先して弁済を受ける権利である。

（民法303条～341条）

2.労働保険料等の先取特権の順位は、厚生年金保険、健康保険等に係る徴収金並びに地方公共団体が徴収する分担金、使用料などの他の公課の先取特権の順位とは同順位であるから、他の公課より先に差押え又は交付要求をした場合に限り、他の公課に優先して労働保険料等を徴収することができる。

また、不動産保存の先取特権等により担保される債権（国税徴収法19条）、留置権により担保される債権（同法21条）、国税、地方税及び公課の法定納期限等以前に設定された質権、抵当権及び不動産賃貸の先取特権等で担保される債権（同法15条、16条、20条）等は、それぞれ国税、地方税その他の公課に優先するが、他の一般私債権は常に公課に劣後することとなる。

なお、徴収金につき差押えをしている場合に、国税、地方税の交付要求があったときは、差押えに係る徴収金に優先して配当しなければならないが、納付義務者が任意に国税に先んじて徴収金を納付してきた場合にまで、先取特権の効力は及ばない。

H29-雇9B（昭和56.9.25労徴発68号）

第4章 第3節

④ 延滞金（法28条、法附則12条） 重要度A ★★★

Ⅰ　**政府**は、第27条第1項の規定により**労働保険料の納付**を**督促**したときは、**労働保険料の額**に、**納期限の翌日**からその**完納**又は**財産差押えの日の前日**までの**期間の日数**に応じ、**年14.6パーセント**（当該納期限の翌日から**2月**を**経過する日**までの期間については、**年7.3パーセント**）の**割合**を**乗じて**計算した**延滞金**を**徴収する**。ただし、**労働保険料の額**が**1,000円未満**であるときは、**延滞金**を**徴収しない**。H29-雇9E R元-雇8DE R3-雇8D

Ⅱ　Ⅰの場合において、**労働保険料の額**の**一部につき納付**があったときは、その**納付の日**以後の期間に係る**延滞金**の額の計算の基礎となる**労働保険料の額**は、その**納付のあった労働保険料の額**を**控除した額**とする。

Ⅲ　**延滞金の計算**において、ⅠⅡの**労働保険料の額**に**1,000円未満の端数**があるときは、その**端数**は、**切り捨てる**。

Ⅳ　ⅠからⅢの規定によって計算した**延滞金の額**に**100円未満の端数**があるときは、その**端数**は、**切り捨てる**。

Ⅴ　**延滞金**は、次のⅰからⅴのいずれかに該当する場合には、**徴収しない**。ただし、ⅳの場合には、その**執行**を**停止**し、又は**猶予した期間**に対応する部分の金額に限る。

ⅰ　**督促状に指定した期限**までに**労働保険料**その他徴収法の規定による**徴収金**を**完納したとき**。H29-雇9A

ⅱ　**納付義務者**の**住所又は居所がわからない**ため、**公示送達**の方法によって**督促**したとき。

ⅲ　**延滞金の額**が**100円未満**であるとき。R元-雇8D

ⅳ　**労働保険料**について**滞納処分**の**執行**を**停止**し、又は**猶予**したとき。

ⅴ　**労働保険料**を**納付しない**ことについて**やむを得ない理由**があると認められるとき。

Ⅵ　Ⅰに規定する**延滞金**の**年14.6パーセント**の**割合**及び**年7.3パーセント**の**割合**は、当分の間、Ⅰの規定にかかわらず、各年の租税特別措置法第94条第1項に規定する**延滞税特例基準割合**が**年7.3パーセント**の**割合**に満たない場合には、その年中においては、**年14.6パーセント**の割合にあっては当該**延滞税特例基準割合**に**年7.3パーセント**の割合を**加算**した割合とし、**年7.3パーセント**の割合にあっては当該**延滞税特例基準割合**に**年1パーセント**の割合を**加算**した割合（当該**加算**した割合が**年7.3パーセント**の割合を超える場合には、**年7.3パーセント**の割合）とする。H29-雇9E

概要

延滞金利率の取扱いは、次の通りとなる。

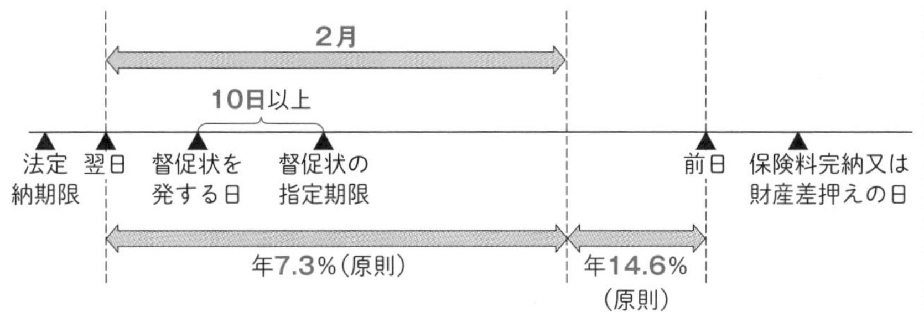

Check Point!

- □ 追徴金は労働保険料ではないので、追徴金に延滞金は課せられない。H29-雇9C
- □ 追徴金の場合と異なり、概算保険料についても延滞金は徴収される。
- □ 延滞金でいう「納期限」とは法定納期限をいうのであって、督促状の指定期限をいうのではない。

1. 延滞金徴収の要件

政府が**労働保険料の督促**を行った場合で、次のいずれの場合にも該当しないときに、延滞金が徴収されることになる。

⑴ **督促状**に指定した期限までに労働保険料その他徴収法の規定による徴収金を**完納した**とき。

⑵ 納付義務者の住所又は居所がわからないため、**公示送達**の方法によって督促したとき。

⑶ **労働保険料**の額が**1,000円未満**であるとき。R元-雇8D

(4)　**延滞金**の額が**100円未満**であるとき。R元-雇8D

(5)　**労働保険料**について**滞納処分**の**執行を停止**し、又は**猶予**したとき（執行を停止し、又は猶予した期間に対応する部分の金額に限る）。

(6)　**労働保険料**を納付しないことについて**やむを得ない理由**があると認められるとき。

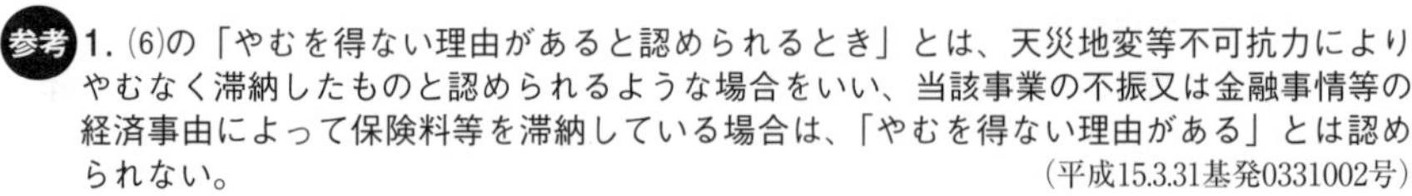

参考 1. (6)の「やむを得ない理由があると認められるとき」とは、天災地変等不可抗力によりやむなく滞納したものと認められるような場合をいい、当該事業の不振又は金融事情等の経済事由によって保険料等を滞納している場合は、「やむを得ない理由がある」とは認められない。
（平成15.3.31基発0331002号）

2.　延滞金の額

延滞金の額は、原則として、労働保険料の額（**1,000円未満切捨て**）に、**納期限の翌日**からその**完納**又は**財産差押えの日の前日**までの期間の日数に応じ、次表の割合を乗じて計算した額（**100円未満切捨て**）である。

ただし、労働保険料の額の一部につき納付があったときは、その納付の日以後の期間に係る延滞金の額の計算の基礎となる労働保険料の額は、その納付のあった労働保険料の額を控除した額となる。

■延滞金の割合

原則の割合			特例の割合
納期限の翌日から	３月以降	**14.6%**	延滞税特例基準割合＋7.3％
	２月以内	**7.3%**	延滞税特例基準割合＋１％（上限7.3％）

参考 延滞税特例基準割合とは、各年の前々年の９月から前年の８月までの各月における銀行の新規の短期貸出約定平均金利の合計を12で除して得た割合として各年の前年の11月30日までに財務大臣が告示する割合（令和６年は0.4％）に、年１％の割合を加算した割合をいう。
（法附則12条、租税特別措置法94条１項）

第5章

労災保険のメリット制

1 継続事業（一括有期事業を含む）のメリット制

❶ 対象事業

❷ 収支率

❸ 労災保険率のメリット改定

❹ 労災保険率の特例

2 有期事業（一括有期事業を除く）のメリット制

❶ 対象事業

❷ 収支率

❸ 確定保険料額のメリット改定

❹ 差額の徴収、還付又は充当

継続事業（一括有期事業を含む）のメリット制

① 対象事業（法12条3項、則16条2項、則17条2項、3項）重要度A

★★★

厚生労働大臣は、**連続する3保険年度中**の**各保険年度**において次のⅰからⅲのいずれかに該当する事業であって当該**連続する3保険年度中**の**最後の保険年度に属する3月31日**（以下「**基準日**」という。）において**労災保険**に係る**保険関係が成立した後3年以上経過**したものについての当該**連続する3保険年度**の間における**第1種調整率**を用いて算定した**収支率**が**100分の85を超え**、**又は100分の75以下**である場合には、当該事業についての第12条第2項［労災保険率の決定］の規定による**労災保険率**から**非業務災害率**を**減じた率**を**100分の40の範囲内**において厚生労働省令で定める率だけ**引き上げ**又は**引き下げた率**に**非業務災害率**を**加えた率**を、当該事業についての**基準日の属する保険年度の次の次の保険年度**の**労災保険率**とすることができる。

H28-災10イ　R2-災9BDE　R4-災9A

ⅰ　**100人以上**の**労働者を使用**する事業

ⅱ　**20人以上100人未満**の**労働者を使用**する事業であって、当該**労働者の数**に当該事業と同種の事業に係る第12条第2項の規定による**労災保険率**から**非業務災害率**（1000分の0.6）を減じた率を乗じて得た数（**災害度係数**）が厚生労働省令で定める数（**0.4**）**以上**であるもの

ⅲ　**有期事業の一括**の適用を受けている**建設**の事業又は**立木の伐採**の事業であって、当該保険年度の**確定保険料の額**が**40万円以上**の事業　R4-災9B

趣旨

労災保険のメリット制とは、納付した保険料額と支給された保険給付等の

比率（収支率）に応じて、一定範囲内で労災保険率（有期事業の場合は確定保険料額）を上下させる制度であり、次のことを目的としている。R2-災9A

⑴　事業主の保険料負担の一層の具体的公平を図ること。

⑵　事業主の自主的な労働災害防止努力を促進すること。

なお、メリット制には、継続事業のメリット制と後述する有期事業のメリット制の２種類がある。

Check Point!

□ 雇用保険率にメリット制はない。R2-災9A

□ 一括有期事業も継続事業のメリット制の適用対象となる。

・適用の対象となる事業

継続事業のメリット制の適用対象となる事業は、**連続する３保険年度中**の各保険年度において次のいずれかに該当する規模の事業（当該**連続する３保険年度中**の**最後の保険年度に属する３月31日**において**労災保険**に係る保険関係が成立した後**３年以上経過**したものに限る。）である。R2-災9D

⑴　100人以上の労働者を使用する事業

参考「100人以上」の具体的な計算方法は次の通りである。

①②以外の場合

$$\frac{\text{当該保険年度中の各月の末日（賃金締切日がある場合は、各月の末日の直前の賃金締切日）の使用労働者数の合計数}}{12} \geqq 100\text{人}$$

②船きょ、船舶、岸壁、波止場、停車場又は倉庫における貨物の取扱いの事業では、次のようにして計算する。

$$\frac{\text{当該保険年度中に使用した延労働者数}}{\text{当該保険年度中の所定労働日数}} \geqq 100\text{人}$$

100人以上（あるいは後述の20人以上100人未満）の労働者を使用する継続事業に対するメリット制の適用にあたっては、その事業について特別加入した中小事業主等も労働者数に算入される。H28-災10ア　（昭和40.11.1基発1454号）

⑵　20人以上100人未満の労働者を使用する事業であって、災害度係数が0.4以上であるもの

①　人数の算出法は、⑴と同様である。

②　災害度係数とは、「当該事業の労働者の数に当該事業と同種の事業に係

る労災保険率から非業務災害率（1000分の0.6）を減じた率を乗じて得た数」である。（法12条３項２号、則16条２項）

【例】労働者数50人の木製品製造業（労災保険率1000分の13）の災害度係数は、次のように算出される。

$$50 \times \left(\frac{13}{1000} - \frac{0.6}{1000}\right) = 0.62$$

⑶　**有期事業の一括の適用を受けている建設の事業又は立木の伐採の事業であって、当該保険年度の確定保険料の額が40万円以上の事業** R4-災9B

有期事業の一括の適用対象となる事業は、それぞれの事業（それぞれの工事等）の概算保険料の額が160万円未満の事業であるが、それらを一括した事業（複数の工事等）の確定保険料の額が**40万円以上**の場合にメリット制を適用する。

❷ 収支率（法12条3項） 重要度A ★★★

❶の収支率とは、基準日以前３保険年度における**業務災害に関する給付額**と**業務災害に係る納付額**の収支の割合のことであり、基本的算式は次のようになる。R2-災9CE

$$\frac{\text{保険給付の額＋特別支給金の額}}{\text{（労災保険料の額＋第１種特別加入保険料の額）×第１種調整率}}$$

なお、保険給付や特別支給金のうち年金の支給額については、そのまま用いるのではなく、原則としてそれに相当する労働基準法の災害補償（一時金）の計算方法で計算した額となる。

また、労災保険法第８条第３項［複数事業労働者に係る給付基礎日額の算定］に規定する給付基礎日額を用いて算定した保険給付の支給額については、非災害発生事業場の賃金に対応する保険給付分を考慮しないものとする。

Check Point!

□ 収支率の算定基礎に含まれるのは、業務災害に関する給付額や保険料額であり、複数業務要因災害や通勤災害、二次健康診断等給付に関する給付額や保険料額は算定基礎に含まれない。

□ 第１種特別加入者に係る給付額や保険料額は収支率の算定基礎に含まれるが、第３種特別加入者のうち、第３種特別加入対象事業により業務災害が生じた場合に係る給付額や保険料額は算定基礎に含まれない。

H28-災10ウ

1. 保険給付の額

基準日以前３保険年度間に支給された業務災害に関する保険給付の額であるが、次の保険給付の額は除かれる。

⑴ 遺族補償年金の受給権者が全員失権した場合に支給される遺族補償一時金（いわゆる**失権差額一時金**）

⑵ **障害補償年金差額一時金**

⑶ **特定疾病にかかった者に係る保険給付**

⑷ **第３種特別加入者のうち、第３種特別加入対象事業により業務災害が生じた場合に係る保険給付** H28-災10ウ

（法12条３項、労災法附則58条４項）

1.「特定疾病」とは、特定の業務に長期間従事することにより発生する疾病であって厚生労働省令で定めるものをいう。具体的には下表左欄の事業における一定の業務による右欄の疾病をいう。

（則17条の２）

事業の種類	疾病
港湾貨物取扱事業 港湾荷役業	非災害性腰痛
林業・建設の事業	振動障害
建設の事業	じん肺症 H28-災10オ
建設の事業 港湾貨物取扱事業 港湾荷役業	（石綿にさらされる業務による） 肺がん 中皮腫
建設の事業	騒音性難聴

これらの特定疾病に罹った者で最後に従事した事業場での従事期間が一定期間に満たないものに係る保険給付の額については、収支率の算定基礎から除かれることになる。これは、これらの疾病が相当期間一定の業務に従事することにより発病するので、たまたま発病した事業場の事業主の責任にすることは適当でないということである。

2.第３種特別加入者のうち、第３種特別加入対象事業により業務災害が生じた場合に係る保険給付が除かれるのは、海外の事業主の指揮命令下で発生した事故まで収支率の算定基礎とするのは合理的ではないことによる。

2. 特別支給金の額

基準日以前３保険年度間に支給された業務災害に関する特別支給金の額であるが、次の特別支給金の額は保険給付と同様の趣旨で除かれる。R2-災9C

⑴ 遺族補償年金の受給権者が**全員失権**した場合に支給される**遺族特別一時金**

第5章

(2)　**障害特別年金差額一時金**

(3)　**特定疾病**にかかった者に係る特別支給金

(4)　**第３種特別加入者のうち、第３種特別加入対象事業により業務災害が生じた場合に係る特別支給金**　（則18条の２、則附則１条の２）

3.　労災保険料の額

基準日以前３保険年度間の「一般保険料の額のうち、労災保険率（メリット制の適用があった場合は、それにより引き上げ又は引き下げられた率）に応ずる部分の額から非業務災害率に応ずる部分の額を減じた額」のことである。

4.　第１種特別加入保険料の額

基準日以前３保険年度間の「第１種特別加入保険料の額から特別加入非業務災害率（1000分の0.6）に応ずる部分の額を減じた額」をいう。

なお、「特別加入非業務災害率」とは、「非業務災害率」から法第13条の「労災保険法の適用を受ける全ての事業の過去３年間の二次健康診断等給付に要した費用の額を考慮して厚生労働大臣の定める率（零)」を減じた率をいう。

（法12条３項、法13条、則21条の２）

5.　第１種調整率

「業務災害に関する年金たる保険給付に要する費用、特定疾病にかかった者に係る保険給付に要する費用その他の事情を考慮して厚生労働省令で定める率」をいう。

参考 第１種調整率は、次の通りである。

業　種	第１種調整率
林業の事業	100分の51
建設の事業	100分の63
港湾貨物取扱事業又は港湾荷役業の事業	100分の63
船舶所有者の事業	100分の35
上記以外の事業	100分の67

調整率を乗じるのは、次の理由による。

①年金について労働基準法の一時金に換算した分の調整を行うため

②特定疾病患者の保険給付について調整を行うため（林業の調整率が低いのは振動障害患者への保険給付分、建設の事業が低いのは振動障害患者やじん肺患者等への保険給付分、港湾貨物取扱事業等が低いのは腰痛患者等への保険給付分を考慮しているためである。）

問題チェック H24-災9オ

いわゆるメリット収支率を算定する基礎となる保険給付の額には、特定の業務に長期間従事することにより発生する疾病であって厚生労働省令で定めるものにかかった者に係る保険給付の額は含まれないものであり、この厚生労働省令で定める疾病にかかった者には、鉱業の事業における著しい騒音を発生する場所における業務による難聴等の耳の疾患（いわゆる騒音性難聴）にかかった者が含まれる。

解答 ✕　法12条３項、則17条の２

「鉱業の事業」ではなく、「建設の事業」である。

問題チェック R4-災9A　R2-災9E類題

継続事業の一括（一括されている継続事業の一括を含む。）を行った場合には、労働保険徴収法第12条第３項に規定する労災保険のいわゆるメリット制に関して、労災保険に係る保険関係の成立期間は、一括の認可の時期に関係なく、当該指定事業の労災保険に係る保険関係成立の日から起算し、当該指定事業以外の事業に係る一括前の保険料及び一括前の災害に係る給付は当該指定事業のいわゆるメリット収支率の算定基礎に算入しない。

解答 ○　法９条、法12条３項

継続事業の一括が行われた場合、メリット制の適用は、指定事業について行われることになるため、メリット制に関する労災保険に係る保険関係の成立期間は、当該指定事業の労災保険に係る保険関係成立の日から起算し、当該指定事業以外の事業に係る一括前の保険料及び一括前の災害に係る給付は当該指定事業のいわゆるメリット収支率の算定基礎に算入しない。

③ 労災保険率のメリット改定（法12条３項） 重要度A

★★★

❶のメリット制の適用対象事業の**連続する３保険年度**の間における**収支率**が**100分の85を超え、又は100分の75以下**である場合に労災保険率が改定される。

第５章

Check Point!

□ メリット制の適用により改定された労災保険率は、当該事業についての基準日の属する保険年度の次の次の保険年度から適用される。R2-災9B

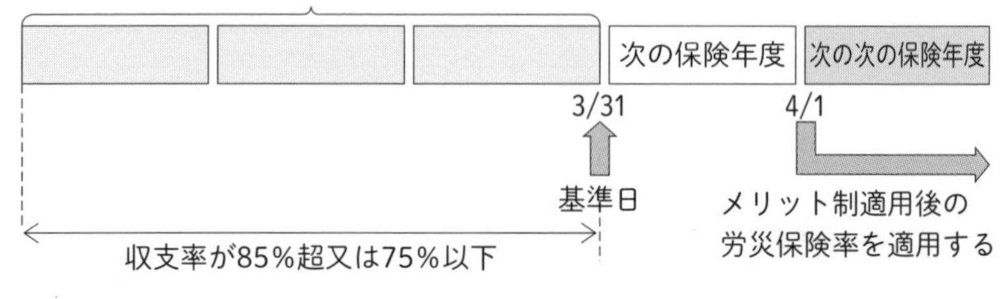

・**改定方法**

その事業についての労災保険率から非業務災害率を減じた率を**100分の40**（一括有期事業のうち**立木の伐採**の事業については**100分の35**）の範囲内において厚生労働省令で定める率だけ引き上げ又は引き下げた率に非業務災害率を加えた率を新たな労災保険率とする。

なお、**建設の事業**又は**立木の伐採の事業**であって、**連続する3保険年度中**のいずれかの保険年度の**確定保険料の額**が**40万円以上100万円未満**であるものについては、**100分の30**の範囲内において厚生労働省令で定める率だけ引き上げ又は引き下げた率に非業務災害率を加えた率を新たな労災保険率とする（次表参照）。

■一括有期事業の場合

事業の種類	確定保険料の額	増減率
建設の事業	100万円以上	±40%
	40万円以上100万円未満	±30%
立木の伐採の事業	100万円以上	±35%
	40万円以上100万円未満	±30%

（則20条）

④ 労災保険率の特例（法12条の2）重要度B ★★

第12条第３項の**継続事業のメリット制**の場合において、厚生労働省令で定める数以下の労働者を使用する事業主（**中小事業主**）が、**連続する３保険年度中**の**いずれかの保険年度**においてその事業に使用する**労働者の安全又は衛生を確保するための措置**で厚生労働省令で定めるものを講じたときであって、当該措置が講じられた**保険年度**の**いずれかの保険年度**の**次の保険年度の初日**から**６箇月以内**に、当該事業に係る**労災保険率**につきこの条の規定の適用を受けようとする旨その他厚生労働省令で定める事項を記載した**申告書**（労災保険率特例適用申告書）を**提出**しているときは、当該**連続する３保険年度中**の**最後の保険年度**の**次の次の保険年度**の同項の**労災保険率**については、同項中「**100分の40**」とあるのは、「**100分の45**」として、同項の規定を適用する。

概要

次の要件を満たす事業主の行う事業の場合、継続事業のメリット制の適用における「労災保険率から非業務災害率を減じた率」の上げ下げの範囲が、40％から**45％**に拡大される。H28-災10エ

⑴ **中小事業主**であること

⑵ 連続する３保険年度中のいずれかの保険年度において、**労働者の安全又は衛生を確保するための措置**を講じたこと

⑶ 当該措置が講じられた保険年度のいずれかの保険年度の次の保険年度の初日から**６箇月以内**に労災保険率特例適用申告書を提出していること（具体的には、４月１日から６箇月以内なので、９月30日までに提出しなければならないことになる）

Check Point!

□ 一括有期事業（建設の事業及び立木の伐採の事業）は当該特例の対象とされない。

1．中小事業主

中小事業主とは、事業の種類に応じて次に掲げる数以下の労働者を常時使用す

第5章

る事業主をいう。

主たる事業	労働者数
①　金融業・保険業・不動産業・小売業	50人以下
②　卸売業・サービス業	100人以下
③　①②以外の事業	300人以下

（則20条の２）

2. 労災保険率特例適用申告書

労災保険率特例適用申告書は、所轄都道府県労働局長を経由して厚生労働大臣に提出しなければならない。また、当該申告書には、事業主が講じた安全衛生確保措置及び当該措置の講じられた保険年度等を記載し、かつ、当該事項について所轄都道府県労働局長の確認を受けなければならない。　（則20条の４、則20条の５）

2 有期事業（一括有期事業を除く）のメリット制

① 対象事業（法20条1項、2項） 重要度A ★★★

Ⅰ　**労災保険**に係る**保険関係**が成立している**有期事業**であって厚生労働省令で定めるものが次のⅰⅱのいずれかに該当する場合には、**政府**は、その事業の**一般保険料**に係る**確定保険料の額**をその額（**労災保険**及び**雇用保険**に係る保険関係が成立している事業についての一般保険料に係るものにあっては、当該事業についての**労災保険率**に応ずる部分の額）から**非業務災害率**に応ずる部分の額を**減じた額**に**100分の40**の範囲内において厚生労働省令で定める率を乗じて得た額だけ**引き上げ**又は**引き下げて**得た額を、その事業についての**一般保険料の額**とすることができる。H28-災10イ

ⅰ　**事業が終了した日**から**3箇月**を**経過した日前**における**第1種調整率**を用いて算定した**収支率**が**100分の85を超え、又は100分の75以下**であって、当該**収支率**がその日以後において**変動せず**、又は厚生労働省令で定める範囲を超えて**変動しない**と認められるとき。

ⅱ　ⅰに該当する場合を除き、**事業が終了した日**から**9箇月**を**経過した日前**における**第2種調整率**を用いて算定した**収支率**が**100分の85を超え、又は100分の75以下**であるとき。

Ⅱ　Ⅰの規定は、**第1種特別加入保険料に係る確定保険料の額について準用する**。この場合において、Ⅰ中「非業務災害率」とあるのは「特別加入非業務災害率」と読み替えるものとする。R4-災9E

Check Point!

□ 有期事業のメリット制では、継続事業のメリット制と異なり、労災保険率を変更するのではなく、確定保険料の額を変更する。

第5章

・適用の対象となる事業

法第20条第１項の厚生労働省令で定める事業［有期事業のメリット制の適用対象事業］は、建設の事業又は立木の伐採の事業であって、その規模が次の(1)(2)のいずれかに該当するものとする。R4-災9C

(1)　**確定保険料**の額が**40万円以上**であること。

(2)　**建設の事業**にあっては**請負金額**（消費税等相当額を除く。）が**１億1,000万円以上**、**立木の伐採の事業**にあっては**素材の生産量**が**1,000立方メートル以上**であること。（則35条１項）

②収支率（法20条1項、2項）重要度A ★★★

Ⅰ　❶の収支率とは、「事業が開始された日より事業が終了した日から**３箇月を経過した日前**」又は「事業が開始された日より事業が終了した日から**９箇月を経過した日前**」の期間における業務災害に関する給付額と業務災害に係る納付額の収支の割合のことである。

$$\frac{\text{保険給付の額＋特別支給金の額}}{\text{（労災保険料の額＋第１種特別加入保険料の額）×調整率}}$$

Ⅱ　Ⅰの計算式中の調整率は、次の通りとなる。

事業が開始された日より事業が終了した日から**３箇月を経過した日前**	**第１種調整率**
事業が開始された日より事業が終了した日から**９箇月を経過した日前**	**第２種調整率**

Check Point!

□　有期事業においては、海外派遣者が特別加入する余地がないので、「第３種特別加入者に係る保険給付」は対象にならない。H28-災10ウ

１．保険給付の額

事業開始日より、**事業終了日**から**３箇月**又は**９箇月経過した日の前日**までの期間における業務災害に関する保険給付の額であるが、次の保険給付の額は継続事業の場合と同様に除かれる。

(1)　遺族補償年金の受給権者が全員失権した場合に支給される遺族補償一時金

（いわゆる失権差額一時金）

(2)　障害補償年金差額一時金

(3)　**特定疾病にかかった者に係る保険給付**　（法20条１項、労災法附則58条４項）

2. 特別支給金の額

事業開始日より、**事業終了日**から**３箇月**又は**９箇月経過した日の前日**までの期間における業務災害に関する特別支給金の額であるが、次の特別支給金の額は継続事業の場合と同様に除かれる。

(1)　遺族補償年金の受給権者が全員失権した場合に支給される遺族特別一時金

(2)　障害特別年金差額一時金

(3)　特定疾病にかかった者に係る特別支給金　（法20条１項）

3. 労災保険料の額

その事業について既に納付した「一般保険料に係る確定保険料の額（労災保険及び雇用保険に係る保険関係が成立している事業については、労災保険率に応ずる部分の額）から非業務災害率に応ずる部分の額を減じた額」である。

4. 第１種特別加入保険料の額

その事業について既に納付した「第１種特別加入保険料に係る確定保険料の額から特別加入非業務災害率に応ずる部分の額を減じた額」をいう。

参考 第１種調整率は、継続事業のメリット制で述べたとおりであり、第２種調整率は、次表のとおりである。

業　種	第２種調整率
建設の事業	100分の50
立木の伐採の事業	100分の43

（則35条の２）

❸ 確定保険料額のメリット改定（法20条1項、2項）

重要度 A ★★★

❶により確定保険料の額がメリット改定されるのは、次のいずれかに該当した場合である。

i　事業が終了した日から**３箇月**を経過した日前における**第１種調整率**を用いて算定した**収支率**が**100分の85を超え、又は100分の75以下**であって、当該収支率がその日以後において変動せず、又は則別表第７に定める範囲を超えて変動しないと認められるとき。

ii　事業終了後も保険給付や特別支給金の支給が行われており、そのため、３箇月を経過した日以後に収支率が則別表第７に定める範囲を超えて変動すると認められる場合は、事業が終了した日から**９箇月**を経過した日前における期間を対象として、**第２種調整率**を用いて収支率を算定し、当該**収支率**が、**100分の85を超え又は100分の75以下**であるとき

・改定方法

事業終了後３箇月（９箇月）の時点では、確定精算が終了しており、その事業についての確定保険料は既に納付されているため、確定保険料の額を見直すことになる。

改定確定保険料の額は次の算式によって算定される。

確定保険料の額	±	確定保険料の額（労災保険率に応ずる部分の額に限る）	−	非業務災害率（第１種特別加入保険料に係る確定保険料にあっては、特別加入非業務災害率）に応ずる部分の額	×	40%（建設の事業）35%（立木の伐採の事業）	以下の一定率

❹ 差額の徴収、還付又は充当（法20条３項、則37条）

重要度 A　★★★

政府は、❶の規定により**労働保険料の額**を**引き上げ**又は**引き下げた**場合には、厚生労働省令で定めるところにより、その**引き上げ**又は**引き下げ**られた**労働保険料の額**と**確定保険料の額**との**差額を徴収**し、**未納の労働保険料**その他徴収法の規定による**徴収金**又は**未納の一般拠出金**（石綿による健康被害の救済に関する法律の規定により労災保険用事業主から徴収する一般拠出金をいう。）その他同法の規定により準用する徴収法の規定による**徴収金**に**充当**し、又は**還付**するものとする。

1. 差額の徴収

有期事業のメリット制の適用により確定保険料の額が引き上げられた場合には、その引き上げられた額と確定保険料の額との差額が徴収される。また、**所轄都道府県労働局歳入徴収官**が差額を徴収する場合は、**通知を発する日から起算して30日を経過した日**をその納期限と定め、事業主に**納入告知書**で通知しなければならない。（法20条４項、則35条４項、則38条５項）

・改定確定保険料の差額徴収の納期限は追加徴収に係る概算保険料、追徴金及び特例納付保険料の場合と同様である。ただし、追加徴収に係る概算保険料が納付書で通知されるのに対し、改定確定保険料の差額徴収、追徴金及び特例納付保険料は納入告知書で通知される。

2. 差額の還付

有期事業のメリット制の適用により確定保険料の額が引き下げられた場合で事業主の請求があった場合には、その引き下げられた額と確定保険料の額との差額が**還付**される。なお、差額の還付請求は、引き下げられた労働保険料の額の**通知を受けた日の翌日から起算して10日以内**に労働保険料還付請求書を、所轄都道府県労働局長及び所轄労働基準監督署長を経由して**官署支出官**又は**所轄労働基準監督署長**を経由して**所轄都道府県労働局資金前渡官吏**に提出することによって行わなければならない。 R4-災9D （則36条）

3. 差額の充当

還付請求がない場合であって、事業主から徴収すべき徴収金（一般拠出金を含む。）があるときは、差額は当該徴収金に充当される。

所轄都道府県労働局歳入徴収官が充当処理を行った場合は、その旨を**事業主に通知**しなければならない。 R4-災9D （則37条）

第6章

労働保険事務組合

1 委託事業主及び労働保険事務組合の認可

❶ 委託事業主及び委託事務の範囲

❷ 認可

❸ 認可の取消し

2 労働保険事務組合の責任等

❶ 労働保険事務組合に対する通知

❷ 徴収金の納付責任

❸ 追徴金又は延滞金の納付責任

❹ 事業主からの徴収

❺ 不正受給に関する責任

❻ 帳簿の備付け

3 管轄の特例、届出及び報奨金

❶ 管轄の特例

❷ 届出

❸ 報奨金

委託事業主及び労働保険事務組合の認可

① 委託事業主及び委託事務の範囲（法33条1項、則62条2項、3項）

重要度 A ★★★

Ⅰ　中小企業等協同組合法第３条の**事業協同組合**又は**協同組合連合会**その他の**事業主の団体**又はその**連合団体**（**法人**でない**団体**又は**連合団体**であって**代表者の定め**がないものを**除く**。）は、**団体の構成員**又は**連合団体を構成する団体の構成員**である**事業主**その他厚生労働省令で定める事業主（厚生労働省令で定める数を超える数の労働者を使用する事業主を除く。）の**委託**を受けて、これらの者が行うべき**労働保険料の納付**その他の**労働保険**に関する事項（**印紙保険料**に関する事項を**除く**。以下「**労働保険事務**」という。）を**処理**することができる。

Ⅱ　Ⅰの厚生労働省令で定める数を超える数の労働者を使用する事業主［**労働保険事務組合に労働保険事務の処理を委託することができない事業主**］は、**常時300人**（**金融業**若しくは**保険業**、**不動産業**又は**小売業**を**主たる事業**とする**事業主**については**50人**、**卸売業**又は**サービス業**を**主たる事業**とする**事業主**については**100人**）を**超える数**の**労働者**を**使用**する**事業主**とする。R元-雇9A

Ⅲ　労働保険事務組合の**主たる事務所の所在地を管轄する都道府県労働局長**は、必要があると認めたときは、当該労働保険事務組合に対し、当該労働保険事務組合が労働保険事務の処理の委託を受けることができる**事業の行われる地域**について**必要な指示**をすることができる。R5-災9B

趣旨

労働保険事務組合とは、中小事業主の委託を受けてその者が行うべき労働保険料の納付等の労働保険事務を処理するために、厚生労働大臣の認可を受けた中小事業主の団体等をいう。事業主が労働保険事務組合に労働保険事務の処理を委託した場合は、次のようなメリットがある。

(1) 労働保険事務組合に労働保険事務の処理を委託した中小事業主は、概算保険料の額にかかわりなく延納することができる。

(2) 労働保険事務組合に労働保険事務の処理を委託した中小事業主等は、労災保険に特別加入することができる。

Check Point!

- □ 事業主は、有期事業についても、労働保険事務組合に労働保険事務の処理を委託することができる。H29-雇10B
- □ 労働保険事務組合の主たる事務所が所在する都道府県に主たる事務所を持つ事業の事業主のほか、他の都道府県に主たる事務所を持つ事業の事業主についても、当該労働保険事務組合に労働保険事務を委託することができる。R5-災9A

1. 委託事業主の資格

労働保険事務組合に労働保険事務の処理を委託することができる事業主は、その事務組合である団体の構成員である事業主又は事務組合である連合団体を構成する団体の構成員である事業主を原則とするが、**構成員以外の事業主**であっても、労働保険事務の処理を事務組合である事業主の団体又はその連合団体に委託することが必要であると認められるものは**委託することができる**。

R3-雇9B（則62条1項）

参考「委託することが必要であると認められるもの」とは、労働保険事務組合に労働保険事務の処理を委託しなければ労働保険への加入が困難であるもの及び労働保険事務の処理を委託することにより当該事業における負担が軽減されると認められるものをいい、都道府県労働局において当該地域の実情を勘案のうえ、判断するものとする。

（平成12.3.31発労徴31号）

2. 委託事業主の事業規模

労働保険事務の処理を労働保険事務組合に委託することができるのは、いわゆる中小事業主に限られる。

中小事業主とは、事業の種類に応じて次に掲げる数以下の労働者を常時使用する事業主をいう。

主たる事業	労働者数	
①　金融業・保険業・不動産業・小売業	50人以下	R元-雇9A
②　卸売業・サービス業	100人以下	
③　①②以外の事業	300人以下	R5-災9E

・労働者の数は、個々の事業場ごとではなく、企業全体の労働者数である。

（平成12.3.31発労徴31号）

・「常時300人、50人又は100人以下の労働者を使用する」とは、常態として300人、50人又は100人以下の労働者を使用することをいい、臨時に労働者数が増加する等の結果、一時的に使用労働者が300人、50人又は100人を超えることとなった場合でも、常態として300人、50人又は100人以下であればこれに該当することとなる。

R5-災9E（同上）

参考 金融業、保険業、不動産業、小売業若しくはサービス業又は卸売業の分類は、日本標準産業分類によるが、清掃業、火葬業、と畜業、自動車修理業及び機械修理業はこれらの業種に含めない（使用労働者数が、常時300人以下であれば委託できる。）。（同上）

3. 委託事務の範囲 R3-雇9C

事業主が労働保険事務組合に処理を委託できる労働保険事務の範囲は、原則として事業主が行うべき労働保険に関する事項の一切であるが、徴収法の規定により「**印紙保険料に関する事項**」が除かれているほか、保険給付に関する請求書等の記載事項に関する証明等の事務等、その性質上労働保険事務組合に委託して処理させることになじまないものは除かれる。

労働保険に係る次のような事務は、労働保険事務組合の**受託業務の範囲に含まない**。

(1)　**労災保険**の**保険給付**及び**社会復帰促進等事業**として行う**特別支給金**に関する請求書等に係る**事務手続及びその代行** R元-雇9D

(2)　**雇用保険**の**失業等給付等**に関する請求書等に係る**事務手続及びその代行**

(3)　**雇用保険二事業**（雇用安定事業及び能力開発事業）に係る**事務手続及びその代行**

（法33条1項、平成12.3.31発労徴31号）

参考 労働保険事務組合が事業主の委託を受けて処理することができる労働保険事務の具体的範囲は、次の通りである。

(1)概算保険料、確定保険料その他労働保険料及びこれに係る徴収金の申告、納付
(2)**雇用保険の被保険者資格の取得及び喪失の届出**、被保険者の転勤の届出その他雇用保険の被保険者に関する届出等に関する手続
(3)「保険関係成立届」、労災保険又は雇用保険の「任意加入申請書」、雇用保険の「事業所設置届」等の提出に関する手続
(4)労災保険の特別加入申請、変更届、脱退申請等に関する手続
(5)労働保険事務処理委託、委託解除に関する手続
(6)その他労働保険の適用徴収に係る申請、届出及び報告等に関する手続

（平成12.3.31発労徴31号）

② 認可（法33条2項、則76条3号） 重要度A ★★★

事業主の団体又はその**連合団体**は、**労働保険事務組合**としての業務を行なおうとするときは、**厚生労働大臣の認可**（**権限は都道府県労働局長に委任**）を受けなければならない。H28-雇8D

Check Point!

□ 労働保険事務組合は、厚生労働大臣の認可を受けることによって全く新しい団体が設立されるわけではなく、既存の事業主の団体等がその事業の一環として、事業主が処理すべき労働保険事務を代理して処理するものである。R5-災9C （平成12.3.31発労徴31号）

1. 認可申請手続

労働保険事務組合の認可、認可取消等の厚生労働大臣の権限は、都道府県労働局長に委任されているので、認可申請書の経由・提出先は次のようになる。

H28-雇8D

(1) **労災保険**に係る保険関係が成立している**二元適用事業**及び**一人親方等の団体のみ**の委託を受けて労働保険事務を処理する場合
…**所轄労働基準監督署長を経由**して、**都道府県労働局長**に提出する。

(2) (1)**以外**のものに係る労働保険事務を処理する場合
…**所轄公共職業安定所長を経由**して、**都道府県労働局長**に提出する。

（則63条１項、則78条３項）

参考（添付書類）
認可申請書には、次の書類を添付しなければならない。
(1)定款、規約等団体又はその連合団体の目的、組織、運営等を明らかにする書類（団体が法人であるときは、登記事項証明書を含む）
(2)労働保険事務の処理の方法を明らかにする書類
(3)最近の財産目録、貸借対照表及び損益計算書等資産の状況を明らかにする書類
（則63条２項）

2. 認可基準

労働保険事務組合の認可を受けるためには、次の認可基準を満たしていなければならない。

(1) **団体等が法人であるか否かは問わない**が、法人でない団体等にあっては、代表者の定めがあることのほか、団体等の事業内容、構成員の範囲、その他団体等の組織、運営方法（総会、執行機関、財産の管理運営方法等）等が定

款、規約等その団体等の基本となる規則（以下「定款等」という）において明確に定められ、**団体性が明確**であること。H29-雇10C

⑵　労働保険事務の委託を予定している事業主が**30以上**あること。

⑶　定款等において、団体等の構成員又は間接構成員である事業主の委託を受けて労働保険事務の処理を行うことができる旨定めていること。

⑷　団体等は団体等として本来の事業目的をもって活動し、その運営実績が**2年以上**あること。

⑸　団体等は相当の財産を有し、労働保険料の納付等の責任を負うことができるものであること。

⑹　労働保険事務（労働保険料の申告・納付、諸届の提出、帳簿の備付け等）を確実に行う能力を有する者を配置し、労働保険事務を適切に処理できるような事務処理体制が確立されていること（被保険者に関する届の提出等の事務処理については、公共職業安定所の管轄区域ごとに行う能力があること）。

⑺　団体等の役員及び事務総括者は、社会的信用がある等それに相応しい者であること。

⑻　労働保険事務処理規約の作成に当たっては、所定の事項を定め、総会等の議決機関の承認を経ること。

問題チェック　H19-雇8D

厚生労働大臣の認可を受けて、労働保険事務組合となった団体は、労働保険事務を専業で行わなければならない。

解答　×　　法33条１項、２項、平成12.3.31発労徴31号

労働保険事務組合となった団体が労働保険事務を専業で行う必要はない。労働保険事務組合となった団体は、労働保険事務組合の認可を受けたことによって全く新しい団体が設立されるわけではなく、既存の事業主の団体等がその事業の一環として事業主が処理すべき労働保険事務を代理して処理するものであって、事務組合たる団体等の組織は当該既存の団体等のそれと同一である。

③ 認可の取消し（法33条4項、則76条3号） 重要度A ★★★

厚生労働大臣（**権限**は**都道府県労働局長**に**委任**）は、**労働保険事務組合**が労働保険関係法令（徴収法、労災保険法若しくは雇用保険法若しくはこれらの法律に基づく厚生労働省令）の規定に**違反**したとき、又はその行うべき**労働保険事務の処理を怠り**、若しくはその**処理が著しく不当**であると認めるときは、**労働保険事務組合**の**認可**を**取り消す**ことができる。 H28-雇8D

概要

労働保険関係法令に違反したとき、労働保険事務の処理を怠ったとき、労働保険事務の処理が著しく不当であるときに加えて、認可基準の規定に反するとき、取消権を留保する条件を付して認可した場合であって当該条件に該当する事実があったときにも認可取消しの対象となる。

認可の取消しは、当該労働保険事務組合に対し文書をもって行うものとされており、労働保険事務組合の主たる事務所の所在地を管轄する都道府県労働局長は、労働保険事務組合の認可の取消しがあったときは、その旨を、当該労働保険事務組合に労働保険事務の処理を委託している**事業主に通知**しなければならない。 H29-雇10D

（則67条、平成12.3.31発労徴31号）

第6章

労働保険事務組合の責任等

① 労働保険事務組合に対する通知（法34条） 重要度A

★★★

政府は、**労働保険事務組合**に**労働保険事務の処理**を委託した**事業主**に対してすべき労働保険関係法令の規定による**労働保険料**の**納入の告知**その他の**通知**及び**還付金の還付**については、これを**労働保険事務組合**に対してすることができる。この場合において、**労働保険事務組合**に対してした**労働保険料**の**納入の告知**その他の**通知**及び**還付金の還付**は、当該**事業主に対してしたものとみなす**。

Check Point!

□ 例えば、政府は、委託事業主に対して行うべき追徴金の通知を労働保険事務組合に対して行うことができ、その通知は委託事業主に対して行ったものとみなされ、通知の効果が委託事業主に及ぶことになる。

参考（労働保険関係法令に規定する通知等）
労働保険関係法令に規定する通知等には、次のようなものがある。
⑴認定決定、追徴金、延滞金等の通知
⑵追加徴収、差額徴収、還付、充当等の通知
⑶督促状による督促
⑷被保険者資格の確認の通知
⑸中小事業主等についての特別加入を承認した場合の通知　（平成12.3.31発労徴31号）

② 徴収金の納付責任（法35条1項） 重要度A

★★★

第33条第１項の委託に基づき、**事業主**が**労働保険関係法令**の規定による**労働保険料**その他の**徴収金の納付**のため、**金銭**を**労働保険事務組合に交付**したときは、その**金額の限度**で、**労働保険事務組合**は、**政府**に対して当該**徴収金**の**納付の責めに任ずる**ものとする。

Check Point!

□ 例えば、労働保険事務組合は、保険料の納期限が到来した場合であって委託事業主のうちに労働保険料を当該事務組合に交付しない者があっても、その分を立て替えて納付する義務はないこととなる。

参考（徴収金の納付責任）
労働保険事務組合は、事業主の代理人として労働保険事務を処理するものであるが、通常の代理人と異なり、労働保険料その他の徴収金について、政府に対し納付の責めに任ずるものである。
（平成12.3.31発労徴31号）

③ 追徴金又は延滞金の納付責任（法35条2項）

重要度 A ★★★

労働保険関係法令の規定により**政府**が**追徴金**又は**延滞金**を**徴収**する場合において、その**徴収**について**労働保険事務組合**の**責めに帰すべき理由**があるときは、**その限度**で、**労働保険事務組合**は、**政府**に対して当該**徴収金の納付の責め**に任ずるものとする。

Check Point!

□ 例えば、委託事業主が納付すべき労働保険料を交付しないために延滞金を徴収されることとなったような場合は、労働保険事務組合は当該延滞金の納付の責めは負わないこととなる。

参考（事務組合の責めに帰すべき理由）
追徴金又は延滞金の徴収について事務組合の責めに帰すべき理由があるときとは、具体的には次の場合である。

(1)追徴金の納付責任

①労働保険事務処理規約等に規定する期限までに、「確定保険料申告書」を作成するための事実（前年度中に支払った賃金総額等）を事業主が報告したにもかかわらず、労働保険事務組合が法に規定する申告期限までに「確定保険料申告書」を提出しないため、政府が確定保険料の額を認定し、その納付すべき額の100分の10に相当する追徴金を徴収することとした場合 R5-災9D

②その他労働保険事務組合の責めに帰すべき理由によって政府が追徴金を徴収することとした場合

(2)延滞金の納付責任

①政府から各滞納事業主に係る督促状を受けた労働保険事務組合が、労働保険事務処理規約等の定めるところにより、事業主に対し、督促があった旨の通知をしないため、督促状の指定期限までに納付することができず、延滞金を徴収される場合

②労働保険事務組合から督促状の通知を受けた事業主が労働保険事務処理規約等に規定

第6章

する期限までに、労働保険料を労働保険事務組合に交付したにもかかわらず、労働保険事務組合が督促状の指定期限までに当該労働保険料を納付しなかったために延滞金が徴収される場合

③その他労働保険事務組合の責めに帰すべき理由によって生じた延滞金を徴収される場合

（平成12.3.31発労徴31号）

❹ 事業主からの徴収（法35条3項）重要度A ★★★

政府は、第35条第1項［**徴収金の納付責任**］及び第2項［**追徴金又は延滞金の納付責任**］の規定により**労働保険事務組合**が納付すべき徴収金については、当該**労働保険事務組合**に対して第27条第3項の規定による処分［滞納処分］をしても**なお徴収すべき残余がある場合に限り**、その**残余の額**を当該**事業主から徴収することができる**。

H29-雇10E　R元-雇9E

概要

労働保険事務組合が、交付を受けた労働保険料その他の徴収金並びに当該事務組合の責めに帰すべき追徴金又は延滞金について、滞納があった場合には、政府は当該事務組合に対して滞納処分を行い、**なお徴収すべき残余があるときは当該事業主から徴収**する。

（平成12.3.31発労徴31号）

❺ 不正受給に関する責任（法35条4項）重要度A ★★★

労働保険事務組合は、労災保険法第12条の3第2項の規定及び雇用保険法第10条の4第2項の規定［**不正受給の際の連帯納付命令**］の適用については、**事業主とみなす**。

概要

労働保険事務組合の虚偽の届出、報告又は証明により、保険給付を不正に受給した者がある場合には、政府は、当該労働保険事務組合に対して受給者と連帯して受給金額の全部又は一部を返還すべきことを命ずることができる。

（平成12.3.31発労徴31号）

Check Point!

□ 例えば、委託事業主に使用されていた労働者が、労働保険事務組合の虚偽の届出により、基本手当の支給を不正に受けた場合には、政府は、その事務組合に対してその不正に受けた者と連帯して基本手当の全部又は一部を返還すべきことを命ずることができることとなる。

⑥ 帳簿の備付け（法36条、則68条） 重要度A ★★★

労働保険事務組合は、厚生労働省令で定めるところにより、その処理する**労働保険事務**に関する事項を記載した次の帳簿を事務所に備えておかなければならない。

i　労働保険事務等処理委託事業主名簿

ii　労働保険料等徴収及び納付簿

iii　**雇用保険被保険者関係届出事務等処理簿** R3-雇9A

Check Point!

□ 労働保険事務組合は、事務所に上記の帳簿を備えておかなければならず、これに違反した代表者等は、６月以下の懲役又は30万円以下の罰金に処せられる。 H27-雇8A （法47条１号）

管轄の特例、届出及び報奨金

① 管轄の特例（則69条、整備省令13条）重要度B ★★

Ⅰ　管轄の特例により、労働保険事務組合に委託された労働保険事務については、当該労働保険事務組合の主たる事務所の所在地を管轄する行政庁が所轄行政庁となる（概要(1)）。R3-雇9D

Ⅱ　当分の間は、労働保険事務組合が都道府県労働局長又は公共職業安定所長に提出する雇用保険に関する書類は、保険料の申告・納付等に係るものを除いて、委託事業主の事業場の所在地を管轄する行政庁に提出することができる（概要(2)）。

概要

(1)　管轄の特例

(2)　暫定措置

・(2)に基づき、労働保険事務組合が都道府県労働局長に対して行う**雇用保険の任意加入申請書**及び**保険関係消滅申請書**の提出は、当分の間、事業場の所在地を管轄する都道府県労働局長に対して行うことができる。（整備省令13条1項）

・(2)に基づき、労働保険事務組合が公共職業安定所長に対して行う**保険関係成立届、名称、所在地等変更届及び代理人選任・解任届**の提出は、当分の間、事業場の所在地を管轄する公共職業安定所長に対して行うことができる。

（整備省令13条3項）

❷ 届出 重要度B

1 労働保険事務等処理委託（委託解除）届（則64条） ★★

Ⅰ　**労働保険事務組合**は、労働保険事務の処理の委託があったときは、**遅滞なく**、**労働保険事務等処理委託届**を、その主たる事務所の所在地を管轄する**都道府県労働局長**に提出しなければならない。

R元-雇9B　R3-雇9E

Ⅱ　**労働保険事務組合**は、労働保険事務の処理の委託の解除があったときは、**遅滞なく**、**労働保険事務等処理委託解除届**を、その主たる事務所の所在地を管轄する**都道府県労働局長**に提出しなければならない。

概要

労働保険事務等処理委託（委託解除）届の提出は、労働保険事務組合の主たる事務所の所在地を管轄する**公共職業安定所長**〔**労災保険に係る保険関係が成立している二元適用事業**及び**一人親方等の団体のみの委託**を受けて労働保険事務を処理する場合の労働保険事務等処理委託（委託解除）届にあっては、当該事務所の所在地を管轄する**労働基準監督署長**〕を経由して行うものとされている。 R元-雇9B

（則78条3項）

ただし、❶Ⅱの管轄の特例に係る暫定措置により、「労災保険に係る保険関係が成立している二元適用事業及び一人親方等の団体のみの委託を受けて労働保険事務を処理する場合」以外の当該委託（委託解除）届は、当分の間、**委託事業主の事業場の所在地を管轄する**公共職業安定所長を経由して行うことができる。

（整備省令13条2項）

2 定款等の変更の届出（則65条）

★★

労働保険事務組合は、次の書類に記載された事項に**変更**を生じた場合には、その**変更があった日の翌日から起算**して**14日以内**に、その旨を記載した届書をその主たる事務所の所在地を管轄する**都道府県労働局長**に提出しなければならない。R元-雇9C

i　**労働保険事務組合認可申請書**

ii　**労働保険事務組合認可申請書**の**添付書類**のうち、**定款**、規約等団体又はその連合団体の**目的、組織、運営等**を明らかにする書類（団体が**法人**であるときは、**登記事項証明書**を含む。）

iii　**労働保険事務組合認可申請書**の**添付書類**のうち、**労働保険事務**の**処理の方法**を明らかにする書類

概要

当該変更届の提出は、労働保険事務組合の主たる事務所の所在地を管轄する**公共職業安定所長**（労災保険に係る保険関係が成立している二元適用事業及び一人親方等の団体のみの委託を受けて労働保険事務を処理する労働保険事務組合が行う当該変更届にあっては、その主たる事務所の所在地を管轄する**労働基準監督署長**）を経由して行うものとされている。（則78条3項）

問題チェック H8-雇10B

労働保険事務組合の最近の財産目録又は貸借対照表に変更を生じた場合には、その変更があった日の翌日から起算して14日以内に、その旨を記載した届出書を、所轄公共職業安定所長又は所轄労働基準監督署長を経由して、所轄都道府県労働局長に提出しなければならない。

解答 ×　則65条

最近の財産目録、貸借対照表、損益計算書等資産の状況を明らかにする書類に変更を生じても変更届を提出する必要はない。

3 業務廃止届（法33条3項、則66条）

Ⅰ　**労働保険事務組合**は、労働保険事務の処理の業務を**廃止**しようとするときは、**60日前**までに、その旨を**厚生労働大臣**に届け出なければならない。

Ⅱ　労働保険事務の処理の業務の**廃止の届出**は、届書を**労働保険事務組合**の主たる事務所の所在地を管轄する**都道府県労働局長**に提出することによって行わなければならない。 H28-雇8D

概要

当該廃止届の提出は、労働保険事務組合の主たる事務所の所在地を管轄する**公共職業安定所長**（労災保険に係る保険関係が成立している二元適用事業及び一人親方等の団体のみの委託を受けて労働保険事務を処理する労働保険事務組合が行う当該廃止届にあっては、その主たる事務所の所在地を管轄する**労働基準監督署長**）を経由して行うものとされている。（則78条３項）

参考 労働保険事務組合の認可を受けた団体等について組織変更があり、「従来法人格のない団体であったものが従来と異なる法人格のない団体若しくは法人となった場合」又は「従来法人であったものが法人格のない団体若しくは従来と異なる法人となった場合」であって、その後も引き続いて事務組合としての業務を行おうとするときは、旧事務組合についての業務を廃止する旨の届を提出するとともに、あらためて認可申請をしなければならない。

③ 報奨金（整備法23条） 重要度 A

★★★

政府は、当分の間、政令で定めるところにより、**労働保険事務組合**が納付すべき**労働保険料**が**督促することなく完納**されたとき、**その他その納付の状況が著しく良好であると認めるとき**は、当該**労働保険事務組合**に対して、**予算の範囲内**で、**報奨金**を交付することができる。

H30-雇10B

趣旨

報奨金の交付は、次の趣旨で行われている。

(1)　中小事業主の事務負担を軽減し、保険関係事務処理の円滑化を図るという労働保険事務組合制度の目的を達成すること。

第6章

(2) 将来にわたって労働保険事務組合に対する助長奨励を行うこと。

Check Point!

□ 報奨金の交付を受けようとする労働保険事務組合は、労働保険事務組合報奨金交付申請書を10月15日までに、その主たる事務所の所在地を管轄する都道府県労働局長に提出しなければならない。H30-雇10D

（報奨金省令2条）

□ 報奨金交付申請書は所轄都道府県労働局長に提出すると規定されているのであって、労働基準監督署長や公共職業安定所長を経由して所轄都道府県労働局長に提出するとは規定されていない。

1. 報奨金の交付要件

労働保険事務組合が事業主の委託を受けてする労働保険料の納付状況が、次のすべての要件に該当するときは、政府から当該労働保険事務組合に対し報奨金が交付される。

(1) **7月10日**において、前年度の労働保険料（当該労働保険料に係る追徴金及び延滞金を**含む**。以下「前年度の労働保険料等」という。）であって、**常時15人以下の労働者**を使用する事業の事業主の委託に係るものにつき、その確定保険料の額（労働保険料に係る追徴金又は延滞金を納付すべき場合にあっては、確定保険料の額と当該追徴金又は延滞金の額との合計額）の合計額の**100分の95以上の額が納付**されていること。H30-雇10AC

(2) 前年度の労働保険料等について、法第27条第3項の規定により**国税滞納処分の例による処分**（財産差押えなどの滞納処分）を受けたことがないこと。

H30-雇10A

(3) 偽りその他**不正の行為**により、前年度の労働保険料等の徴収を免れ、又はその還付を受けたことがないこと。（報奨金政令1条）

2. 報奨金の額

報奨金の額は、次の(1)または(2)のいずれか低い方の額以内とする。H30-雇10E

(1) **1,000万円**

(2) 次の計算式により算定した額

常時15人以下の労働者を使用する事業主の委託を受けて納付した前年度の労働保険料（督促を受けて納付した労働保険料を除く）の額（その額が確定保険料の額を超えるときは、当該確定保険料の額）	× $\frac{2}{100}$ +	厚生労働省令で定める額

（報奨金政令２条）

1.労働保険事務組合の母体団体自体が、その使用する職員につき事業主として労働保険に加入しており、その労働保険事務を委託事業に係る事務と併せて便宜的に処理している場合は、個別事業として自らの事務を併せ処理しているものにほかならず、「事業主の委託を受けて処理する」ものではないので、当該団体が納付した労働保険料を報奨金の算定基礎に含めることはできない。（昭和52.8.16労徴発48号）

2.本条の「労働保険料」とは、一般保険料、第１種特別加入保険料、第２種特別加入保険料及び第３種特別加入保険料をいうので、印紙保険料や労災保険の特別保険料などは含まれない。

3.「常時15人以下の労働者を使用する事業」とは、事業主単位ではなく、事業単位（一括された事業については、一括後の事業単位）による。H30-雇10C

4.「前年度の労働保険料」は、有期事業に係る労働保険料にあっては、前年度中に保険関係が消滅した有期事業の全期間の賃金総額を基礎とした労働保険料を意味する。

5.「前年度の労働保険料等」には追徴金や延滞金も含まれるが、当該「延滞金」には、概算保険料に係る延滞金も含まれる。

第6章

問題チェック H6-雇10E

労働保険事務組合が報奨金の交付を受けるためには、納付すべき労働保険料を督促されることなく完納していなければならない。

解答 ×　整備法23条１項

督促なく完納されていなくても、納付状況が著しく良好であると認められるときは、報奨金は交付されることがある。

第7章

労働保険料の負担、不服申立て及び時効等

労働保険料の負担

① 原則的な被保険者負担額（法31条1項） 重要度A

★★★

次のⅰⅱに掲げる雇用保険の被保険者は、当該ⅰⅱに掲げる額を負担するものとする。R5-雇10E

ⅰ　**労災保険及び雇用保険に係る保険関係が成立**している事業に係る**被保険者**…ⓘに掲げる額からⓘⓘに掲げる額を減じた額の**2分の1**の額 R2-雇10C

ⓘ　当該事業に係る**一般保険料**の額のうち**雇用保険率**に応ずる部分の額

ⓘⓘ　ⓘの額に相当する額に**二事業率**を乗じて得た額

ⅱ　**雇用保険に係る保険関係のみが成立**している事業に係る**被保険者**…ⓘに掲げる額からⓘⓘに掲げる額を減じた額の**2分の1**の額

ⓘ　当該事業に係る**一般保険料**の額

ⓘⓘ　ⓘの額に相当する額に**二事業率**を乗じて得た額

概要

雇用保険料の事業主と被保険者の負担割合を保険料率で示すと、次のようになる（二事業に要する費用のうち就職支援法事業分以外は、全額事業主負担となっている）。

■令和6年度の雇用保険率 R5-雇10E

事業の種類	雇用保険率	事業主負担	被保険者負担
一般の事業	1000分の15.5	1000分の9.5	1000分の6
・農林・畜産・養蚕・水産の事業 ・清酒製造の事業	1000分の17.5	1000分の10.5	1000分の7
建設業	1000分の18.5	1000分の11.5	1000分の7

Check Point!

- □ 雇用保険については、雇用保険に係る一般保険料額から二事業に係る額（就職支援法事業分を除く）を減じた額の２分の１が被保険者負担分となる。
- □ 労災保険については、特別加入保険料を含め、全額事業主が負担するので労働者負担はない。

参考 事業主が労働協約等の定めによって義務付けられて被保険者負担額の全部又は一部を実質的に負担した場合には、その負担額に相当する額は、賃金と解される。すなわち、その負担額に相当する額を事業主が賃金として支給し、労働者はこれを原資として所定の負担分を負担したものと解される。したがって、この場合には、徴収法第31条に規定する労働保険料の負担の原則を変更することにはならず、同条違反の問題も生じない。
この場合における一般保険料の算定基礎となる賃金額については必ずしも厳密な計算をする必要はなく、事業主が当該被保険者負担額の負担をしなかったならば支給したであろう額（当初支給額）に、その額を基礎として算定される被保険者負担額を加えた額を当該賃金額とし、これを基礎として、再度被保険者負担額、事業主が納付すべき一般保険料額等を計算すれば足りるものとする。（昭和51.3.31労徴発12号）

問題チェック H22-雇8D

海外派遣者の特別加入に係る第３種特別加入保険料については、当該海外派遣者と派遣元の事業主とで当該第３種特別加入保険料の額の２分の１ずつを負担することとされている。

解答 ×　法31条３項

第３種特別加入保険料の額については、一般保険料の額のうち労災保険率に応ずる部分の額と同様、その全額を事業主が負担することとなっている。

② 日雇労働被保険者の負担（法31条２項） 重要度B

★★

日雇労働被保険者は、第31条第１項の規定によるその者の負担すべき額のほか、**印紙保険料の額**の**２分の１**の額（その額に**１円未満**の端数があるときは、その端数は、**切り捨てる**。）を負担するものとする。

R2-雇10D

第7章

概要

印紙保険料の負担割合は、具体的には次の通りである。

賃金の日額	印紙保険料	事業主負担額	被保険者負担額
11,300円以上	176円	88円	88円
8,200円以上11,300円未満	146円	73円	73円
8,200円未満	96円	48円	48円

（法22条１項）

Check Point!

□ 日雇労働被保険者は印紙保険料だけでなく一般保険料も負担しなければならない。

③ 事業主の負担（法31条3項） 重要度 B ★★

事業主は、当該事業に係る労働保険料の額のうち当該労働保険料の額から第31条第１項［原則的な被保険者負担額］及び第２項［日雇労働被保険者の負担］の規定による**被保険者**の**負担すべき額**を**控除した額**を**負担**するものとする。

概要

事業主は、労働保険料の額のうち、「被保険者の負担すべき額（一般保険料及び印紙保険料に係る被保険者負担額）」以外の部分を負担する。

④ 賃金からの控除（法32条1項） 重要度 A ★★★

事業主は、厚生労働省令で定めるところにより、**被保険者の負担すべき額**に相当する額を当該**被保険者**に支払う**賃金から控除**することができる。この場合において、**事業主**は、**労働保険料控除に関する計算書**を**作成**し、その**控除額**を当該**被保険者**に**知らせなければならない**。

概要

事業主は、被保険者に**賃金を支払う都度**、当該賃金に応ずる被保険者の負担すべき一般保険料の額に相当する額（日雇労働被保険者にあっては、当該額及び印紙保険料の額の２分の１の額に相当する額）を当該賃金から控除することができる。R元-雇10A

また、賃金から控除する場合において、事業主は、一般保険料控除計算簿を作成し、事業場ごとにこれを備えなければならない。なお、この保険料控除計算簿は形式の如何を問わないので、賃金台帳をもってこれに代えることができる。R5-雇9A （則60条）

Check Point!

- □ 控除額の通知は口頭ですませることはできない。
- □ 事業主は、被保険者に賃金を月２回支払う場合であっても、１回分の支払賃金から１箇月分に相当する被保険者負担保険料額をまとめて控除することはできない。

2 不服申立て

① 審査請求（行審法2条、行審法4条、行審法12条1項、行審法18条1項、2項、行審法19条1項）

重要度 A ★★★

Ⅰ　徴収法の規定による処分に不服がある者は、**厚生労働大臣**に対して**審査請求**をすることができる。

Ⅱ　Ⅰの**審査請求**は、**処分があったことを知った日**の**翌日**から起算して**3月**を経過したときは、することができない。ただし、正当な理由があるときは、この限りでない。R2-雇10B

Ⅲ　Ⅰの**審査請求**は、**処分があった日**の**翌日**から起算して**1年**を経過したときは、することができない。ただし、正当な理由があるときは、この限りでない。R2-雇10B

Ⅳ　Ⅰの**審査請求**は、政令で定めるところにより、**審査請求書**を提出してしなければならない。

Ⅴ　**審査請求**は、**代理人**によってすることができる。H28-災9オ

概要

徴収法の規定による行政庁の処分については、特別法は定められていないので、不服がある場合は、一般法である行政不服審査法に基づき審査請求を行うことになる。

Check Point!

□ 徴収法の規定による処分について労働保険審査官に対して不服申立てをするようなことはない。

□ 不服申立てをまとめると、次の通りとなる。

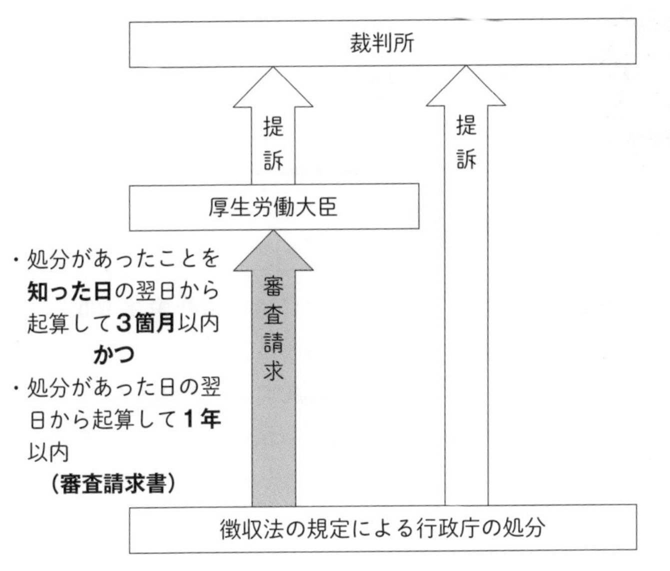

1. 審査請求の対象となる事項

厚生労働大臣に対して審査請求を行うのは、例えば、次の事項についてである。

(1) **概算保険料の認定決定又は確定保険料の認定決定** H28-災9アイウ

(2) 下請負人を事業主とすることの申請に対して認可しないこと

(3) 継続事業の一括扱いの申請に対して認可しないこと

(4) **概算保険料の追加徴収の決定**

(5) 概算保険料の延納の申請に対して承認しないこと

(6) 概算保険料の充当又は還付の決定

(7) 印紙保険料の認定決定

(8) 有期事業に係るメリット保険料と確定保険料との差額の徴収又は還付の決定

(9) **保険料等徴収金の納付の督促**

(10) 国税滞納処分の例による滞納処分

(11) **追徴金の徴収の決定**

(12) 労働保険事務組合の認可申請に対して認可しないこと

(13) 労働保険事務組合の認可の取消しの決定　（昭和37.9.29基発1021号）

2. 訴訟との関係

前記Ⅰの審査請求をせずに、直ちに処分の取消しの訴えを提起することもできる。H28-災9エ

時　効

① 時効（法41条） 重要度 A

★★★

Ⅰ　**労働保険料**その他徴収法の規定による**徴収金を徴収**し、又はその**還付を受ける権利**は、これらを行使することができる時から**２年を経過**したときは、**時効**によって**消滅**する。H28-雇10ア

Ⅱ　**政府**が行う**労働保険料**その他徴収法の規定による**徴収金の徴収の告知**又は**督促**は、**時効の更新の効力**を生ずる。R2-雇10A R6-災10E

概要

政府が行う労働保険料等の徴収の告知及び督促は、時効の更新の効力を生ずるが、徴収の告知（認定決定した概算保険料や確定保険料の通知等）をした場合は「納入告知の納期限の翌日」から、督促をした場合は「督促状の指定期限の翌日」から、それぞれ新たな時効が進行することとなる。

H28-雇10ウ R6-災10E（徴収関係事務取扱手引Ⅰ）

参考（民法改正に伴う徴収法の改正）
時効の起算点について、客観的起算点（権利を行使することができる時）と主観的起算点（権利を行使することができることを知った時）とが分けられることに伴い、徴収法における時効の起算点が客観的起算点である旨が明示された（令和２年４月１日施行）。

（時効の更新）
時効の更新とは、一定の事由（更新事由）が発生した場合に、それまで経過した時効期間がまったく無意味になり、新たな時効期間の進行が開始することをいう。

（援用）
徴収金に係る権利の時効については、その援用（時効になったと主張すること）を要せず、また、その利益を放棄することができない。
したがって、政府の徴収権不行使の状態がその時効期間中継続したときは、納付義務者が自己の利益のため時効完成の事実を主張すると否とにかかわらず、政府はその徴収権を行使できない。また、この場合に納付義務者がその時効による利益を放棄して納付する意思を有していたとしても政府はその徴収権を行使できない。H28-雇10イ

（法30条、国税通則法72条２項）

書類の保存等

① 書類の保存（則72条） 重要度 A ★★★

事業主若しくは**事業主であった者**又は**労働保険事務組合**若しくは**労働保険事務組合であった団体**は、徴収法又は徴収法施行規則による書類を、その**完結の日から３年間**（**雇用保険被保険者関係届出事務等処理簿**は**４年間**）**保存**しなければならない。H28-雇10エ

② 報告・出頭等（法42条） 重要度 B ★★

行政庁は、厚生労働省令で定めるところにより、**保険関係が成立**し、若しくは成立していた事業の**事業主**又は**労働保険事務組合**若しくは**労働保険事務組合であった団体**に対して、徴収法の施行に関し**必要な報告、文書の提出**又は**出頭**を命ずることができる。R元-雇10D

参考（報告命令）
法第42条の規定による命令は、所轄都道府県労働局長、所轄労働基準監督署長又は所轄公共職業安定所長が文書によって行うものとする。R6-災10B（則74条）

（罰則）
事業主又は労働保険事務組合が、法第42条の規定による命令に違反して報告をせず、若しくは虚偽の報告をし、又は文書を提出せず、若しくは虚偽の記載をした文書を提出した場合には、事業主又はその違反行為をした労働保険事務組合の代表者若しくは代理人、使用人その他の従業者は、６月以下の懲役又は30万円以下の罰金に処せられる。
（法46条３号、法47条２号）

③ 立入検査（法43条） 重要度 B ★★

Ⅰ　**行政庁**は、徴収法の施行のため必要があると認めるときは、当該**職員**に、保険関係が成立し、若しくは成立していた事業の**事業主**又は**労働保険事務組合**若しくは**労働保険事務組合であった団体**の事務所に**立ち入り**、**関係者**に対して**質問**させ、又は**帳簿書類の検査**をさ

第7章

せることができる。

Ⅱ　Ⅰの規定により立入検査をする職員は、その身分を示す証票を携帯し、関係人の請求があるときは、これを提示しなければならない。

Ⅲ　Ⅰの規定による立入検査の権限は、犯罪捜査のために認められたものと解釈してはならない。

Check Point!

□「帳簿書類」とは、徴収法及び徴収法施行規則の規定による帳簿書類のみならず、賃金台帳、労働者名簿その他必要と認められるいっさいの帳簿書類をいう。H28-雇10オ

参考（帳簿書類）
帳簿書類には、その作成、備付け又は保存に代えて電磁的記録（電子的方式、磁気的方式その他人の知覚によっては認識することができない方式で作られる記録であって、電子計算機による情報処理の用に供されるものをいう）の作成、備付け又は保存がされている場合における当該電磁的記録も含まれる。

（罰則）
事業主又は労働保険事務組合が、上記Ⅰの規定による当該職員の質問に対して答弁をせず、若しくは虚偽の答弁をし、又は検査を拒み、妨げ、若しくは忌避した場合には、事業主又はその違反行為をした労働保険事務組合の代表者若しくは代理人、使用人その他の従業者は、６月以下の懲役又は30万円以下の罰金に処せられる。（法46条４号、法47条３号）

（立入検査の権限）
法第43条の立入検査の権限は、徴収法の適正、円滑な施行という行政目的のためのものであり、犯罪捜査のために認められたものではない。あくまでも「行政調査」として行われるものであるから、裁判官の発する令状も不要である一方、この規定を理由として被疑者の取調べ、物件の押収、捜索等の捜査を行うことはできない。

④電子情報処理組織による申請書の提出等（則80条）重要度C

★

Ⅰ　徴収法施行規則の規定により、事業主が厚生労働大臣等（**厚生労働大臣**若しくは**官署支出官、都道府県労働局長、労働基準監督署長**若しくは**公共職業安定所長**又は**都道府県労働局歳入徴収官**若しくは**都道府県労働局資金前渡官吏**をいう。）に対して行う申請書、申告書、報告書等の提出並びに届出及び申出（一定のものを除くものとし、以下「申請書の提出等」という。）について、**社会保険労務士**又は**社会保険労務士法人**（以下「**社会保険労務士等**」という。）が、**電**

子情報処理組織を使用して社会保険労務士法第２条第１項第１号の２の規定に基づき当該**申請書の提出等**を事業主に代わって行う場合には、当該**社会保険労務士等**が当該事業主の**職務を代行する契約**を締結していることにつき**証明**することができる**電磁的記録**を当該**申請書**の提出等と**併せて送信**することをもって、**電子署名**を行い、**電子証明書**を当該**申請書**の提出等と**併せて送信**することに代えることができる。

Ⅱ　徴収法施行規則の規定により、**事業主**が**厚生労働大臣等**に対して行う**申請書**の提出等について、**労働保険事務組合**が、**電子情報処理組織**を使用して法第33条第１項［労働保険事務組合］の規定に基づき事業主の**委託を受けて処理**する場合には、当該**労働保険事務組合**が当該事業主が行うべき**労働保険事務**の**委託**を受けていることにつき**証明**することができる**電磁的記録**を当該**申請書**の提出等と**併せて送信**することをもって、**電子署名**を行い、**電子証明書**を当該**申請書**の提出等と**併せて送信**することに代えることができる。

概要

徴収法施行規則の規定により事業主が行うこととされている申請書の提出等の手続のうち一定のものについて、社会保険労務士等が、当該手続を電子申請により代行する場合には、当該事業主と当該社会保険労務士等との間に手続代行契約関係があることを証明できる電磁的記録を添付することをもって、当該事業主の電子署名等に代えることができる（電子署名等を省略することができる）。

また、労働保険事務組合が電子申請により一定の提出代行若しくは届出の提出を行う場合についても、所定の事項を証明することができる電磁的記録を当該申請書の提出等若しくは当該届書の提出と併せて送信することをもって、電子署名を行い、電子証明書を当該申請書の提出等と併せて送信することに代えることができる（平成23年２月１日施行）。

参考 次の手続については、社会保険労務士等との間に手続代行契約関係があること（労働保険事務組合が事業主が行うべき労働保険事務の委託を受けていること）を証明できる電磁的記録を添付することをもって**事業主の電子署名等に代えることができない。**

⑴則第42条第１項及び第４項［雇用保険印紙購入通帳の交付・更新申請］の申請書の提出

⑵則第45条第１項［印紙保険料納付計器の指定申請］の申請書の提出
⑶則第47条第１項［印紙保険料納付計器の設置承認申請］の申請書の提出
⑷則第50条第１項［始動票札受領通帳交付申請］の申請書の提出
⑸則第51条第１項［始動票札］の始動票札受領通帳の提出
⑹則第54条［印紙保険料の納付状況報告］の報告書の提出
⑺則第55条［印紙保険料納付計器の使用状況報告］の報告書の提出
⑻則第58条［特例納付保険料の納付の申出］の申出に係る書面の提出
⑼則第40条第２項［雇用保険印紙の消印に使用すべき認印の印影］の届出
⑽則第50条第４項［印紙保険料納付計器の表示金額の変更］の届出
⑾則第42条第６項［雇用保険印紙購入通帳の再交付］の申出
⑿則第50条第６項［始動票札受領通帳の再交付］の申出
⒀則第53条［印紙保険料納付計器に係る差額の払戻し］の申出

5 罰　則

① 罰則（法46条） 重要度B

★★

事業主が次のⅰからⅳのいずれかに該当するときは、**6月以下の懲役**又は**30万円以下の罰金**に処する。労災保険法第35条第１項に規定する団体［**一人親方等の団体**］がⅲ又はⅳに該当する場合におけるその違反行為をした当該**団体の代表者**又は**代理人**、**使用人**その他の**従業者**も、同様とする。 H27-雇8B

ⅰ　第23条第２項［**雇用保険印紙貼付による納付**］の規定に違反して雇用保険印紙をはらず、又は消印しなかった場合 R5-雇9E

ⅱ　第24条［**印紙保険料に関する帳簿の調製及び報告**］の規定に違反して帳簿を備えておかず、帳簿に記載せず、若しくは虚偽の記載をし、又は報告をせず、若しくは虚偽の報告をした場合 H27-雇8C

ⅲ　第42条［**報告・出頭等**］の規定による命令に違反して報告をせず、若しくは虚偽の報告をし、又は文書を提出せず、若しくは虚偽の記載をした文書を提出した場合

ⅳ　第43条第１項［**立入検査**］の規定による当該職員の質問に対して答弁をせず、若しくは虚偽の答弁をし、又は検査を拒み、妨げ、若しくは忌避した場合 R元-雇10B

Check Point!

□ 労働保険事務組合に対する罰則の適用は、当該事務組合の代表者又は代理人にとどまらず、使用人その他の従業者にも及ぶ。

・労働保険事務組合に対する罰則

労働保険事務組合が、厚生労働省令で定められたその処理する労働保険事務に関する事項を記載した帳簿を事務所に備えておかず、又は帳簿に労働保険事務に関する事項を記載せず、若しくは虚偽の記載をした場合又は上記ⅲⅳに違反した場合にも、同様の罰則が、労働保険事務組合の代表者又は代理人、使用人その他

第7章

の従業者に対して適用される。H27-雇8A

（法46条、法47条）

事業主が次の⑴⑵のいずれかに該当したときも、6月以下の懲役又は30万円以下の罰金に処せられる。H27-雇8B

⑴雇用保険暫定任意適用事業に使用される労働者の2分の1以上の希望があるにもかかわらず、雇用保険の加入の申請をしないとき

⑵雇用保険暫定任意適用事業に使用される労働者が雇用保険の保険関係の成立を希望したことを理由として、労働者に対して解雇その他不利益な取扱いをしたとき H27-雇8D

（法附則7条）

❷ 両罰規定（法48条） 重要度B

★★

Ⅰ　**法人**（法人でない労働保険事務組合及び労災保険法第35条第1項に規定する団体［一人親方等の団体］を含む。以下同じ。）**の代表者**又は法人若しくは人の**代理人**、使用人その他の**従業者**が、その法人又は人の業務に関して、第46条及び第47条［罰則］に規定する違反行為をしたときは、**行為者を罰するほか**、その**法人又は人に対しても**、各本条の**罰金刑**を科する。

Ⅱ　法人でない**労働保険事務組合**又は労災保険法第35条第1項に規定する団体［**一人親方等の団体**］を処罰する場合においては、その代表者が訴訟行為につきその労働保険事務組合又は団体を代表するほか、法人を被告人又は被疑者とする場合の刑事訴訟に関する法律の規定を準用する。

趣旨

本条は、いわゆる両罰規定であり、法人（法人でない労働保険事務組合及び一人親方等の団体を含む）の代表者又は法人若しくは人の代理人、使用人等がその法人又は人の業務に関して違反行為をした場合に、その行為者を罰するほか、その法人又は人自体に対しても法第46条及び第47条の罰金を科する旨を規定したものである。H27-雇8E

資料 編

本書本編の記載内容に関連する発展資料を集めました。本試験で出題された箇所も含まれていますが、かなり細かい論点であるため、まずは本書本編のマスターを優先しましょう。その後さらに知識を深めたい場合に、本資料をご利用ください。

第1章　総　則

1 権限の委任

徴収法に定める次の厚生労働大臣の権限は、都道府県労働局長に委任されている※。

⑴　下請負事業の分離の認可に関する権限

⑵　継続事業の一括の認可及び当該一括に係る指定事業の指定に関する権限

⑶　労働保険事務組合の認可、労働保険事務組合の業務廃止届の受理及び労働保険事務組合の認可の取消しに関する権限

⑷　特例納付保険料の納付の勧奨及び特例納付保険料を納付する旨の申出の受理に関する権限　（則76条）

※　上記⑴から⑷以外に「暫定任意適用事業に係る任意加入の認可及び任意脱退の認可に関する権限」についても都道府県労働局長に委任されている。

（則附則1条の3、整備省令3条の2）

第3章　労働保険料の額

1 育児休業給付費充当徴収保険率の弾力的変更 改正

1．厚生労働大臣は、毎会計年度において、⑴に掲げる額が、⑵に掲げる額の1.2倍に相当する額を超えるに至った場合において、必要があると認めるときは、労働政策審議会の意見を聴いて、1年以内の期間を定め、育児休業給付費充当徴収保険率を1000分の4とすることができる。

⑴　①に掲げる額を②に掲げる額に加減した額

①　当該会計年度における育児休業給付費充当徴収保険料額に基づき算定した当該会計年度の翌年度における育児休業給付費充当徴収保険料額の見込額並びに当該会計年度における雇用保険法の規定による育児休業給付の額（以下⑴において「育児休業給付額」という）及びその額を当該会計年度の前年度の育児休業給付額で除して得た率（②において「育児休業給付額変化率」という）に基づき算定した当該会計年度の翌年度における育児休業給付額の予想額（①において「翌年度育児休業給付額予想額」という）に係る同法第66条第1項第4号の規定による国庫の負担額の見込額の合計額と翌年度育児休業給付額予想額との差額を当該会計年度末における子ども・子育て支援特別会計の育児休業等給付勘定に置かれる育児休業給付資金に加減した額

②　当該会計年度における育児休業給付費充当徴収保険料額に基づき算定した当該会計年度の翌々年度における育児休業給付費充当徴収保険料額の見込額並びに当該会計年度における育児休業給付額及び育児休業給付額変化率に基づき算定した当該会計年度の翌々年度における育児休業給付額の予想額（⑵において「翌々年度育児休業給付額予想額」という）に係る雇用保険法第66条第1項第4号の規定による国庫の負担額の見込額の合計額

⑵　翌々年度育児休業給付額予想額

2．厚生労働大臣は、1.の規定により育児休業給付費充当徴収保険率を変更するに当たっては、雇用保険法第61条の7第1項に規定する育児休業の取得の状況その他の事情を考慮し、雇用保険の事業に係る育児休業給付の支給に支障が生じないようにするために必要な額の育児休業給付資金を保有しつつ、雇用保険の事業（育児休業給付に係るものに限る）に係

る財政の均衡を保つことができるよう、配慮するものとする。（法12条８項、９項）

2 二事業費充当徴収保険率の弾力的変更 改正

1．厚生労働大臣は、毎会計年度において、一般保険料徴収額に二事業率を乗じて得た額（二事業費充当徴収保険料額）と雇用保険法の規定による雇用安定事業及び能力開発事業（同法第63条［就職支援法事業以外の能力開発事業］に規定するものに限る）に要する費用に充てられた額（予算の定めるところにより、労働保険特別会計の雇用勘定に置かれる雇用安定資金に繰り入れられた額を含む）との差額を当該会計年度末における当該雇用安定資金に加減した額が、当該会計年度における一般保険料徴収額に1000分の3.5の率（建設業については、1000分の4.5の率）を雇用保険率で除して得た率を乗じて得た額の1.5倍に相当する額を超えるに至った場合には、二事業費充当徴収保険率を１年間1000分の3.5の率（建設業については、1000分の4.5の率）から1000分の0.5の率を控除した率に変更するものとする。

2．1.の場合において、厚生労働大臣は、雇用安定資金の状況に鑑み、必要があると認めるときは、労働政策審議会の意見を聴いて、１年以内の期間を定め、二事業費充当徴収保険率を1.により変更された率から1000分の0.5の率を控除した率に変更することができる。

（補足）

二事業費充当徴収保険率を財政状況に応じて1000分の0.5引き下げる弾力条項について、更に1000分の0.5引き下げることができることとされている。（法12条10項、11項）

第４章　労働保険料の納付

1 船内荷役等の貼付日数

雇用保険印紙は、就労１日につき１枚の印紙を日雇労働被保険者手帳に貼付するのを原則とするが、港湾運送業における船内荷役、はしけ荷役のごとく、その作業が昼夜兼行となり、かつ、過重な肉体労働をする場合には、これらの作業に就労する日雇労働被保険者の雇用保険印紙貼付について暦日をもって雇用保険印紙貼付の日数とするならば、受給資格の取得が困難となり、他の業務に就労する日雇労働被保険者に比して均衡がとれないため、これらの作業に就労する日雇労働被保険者の雇用保険印紙の貼付については、同一事業主に８時間を超えて長時間にわたり作業に就労したときには、雇用保険印紙貼付日数の算定について特例を認めることとしている。

すなわち、暦日における労働時間が継続又は断続して８時間を超過した場合は、最初の８時間までを１日とし、これを超える時間については、８時間を単位として１日を加算する。

したがって、例えば、労働時間が１暦日（24時間）に及ぶ場合は、その１暦日は３日、18時間に及ぶ場合は２日、15時間の場合は１日として計算されることになる。

労働時間が８時間を超え、かつ、２暦日にわたる場合は、暦日ごとに前項の日数を算出することなく、作業開始時刻より作業終了時刻までの労働時間について前記の算定を行うが、この場合、全労働時間が16時間に満たないため、８時間を超える部分が８時間に満たないときであっても、これを１日として加算することとしているので、例えば、労働時間が全体として10時間で、そのうちの２時間が翌日にわたる場合には、2日とする。

第5章　労災保険のメリット制

1 収支率の算定基礎となる保険給付等の額

・メリット収支率の分子の額に算入する保険給付等について（概要）

労災保険給付	
保険給付の種類	算入額
療養補償給付	療養開始後3年を経過する日前に支給すべき事由の生じたものの額の合計額
休業補償給付（複数事業労働者）	療養開始後3年を経過する日前に支給すべき事由の生じたものの額の合計額のうち災害発生事業場における賃金額をもとに算定した額に相当する額
休業補償給付（複数事業労働者を除く）	療養開始後3年を経過する日前に支給すべき事由の生じたものの額の合計額
障害補償年金（複数事業労働者）	労基法に規定する障害補償相当日数分のうち災害発生事業場における賃金額をもとに算定した額に相当する額
障害補償年金（複数事業労働者を除く）	労基法に規定する障害補償相当日数分
障害補償一時金（複数事業労働者）	支給したもののうち災害発生事業場における賃金額をもとに算定した額に相当する額（失権差額一時金を除く）
障害補償一時金（複数事業労働者を除く）	支給したものの全額（失権差額一時金を除く）
遺族補償年金（複数事業労働者）	労基法に規定する遺族補償相当日数分のうち災害発生事業場における賃金額をもとに算定した額に相当する額
遺族補償年金（複数事業労働者を除く）	労基法に規定する遺族補償相当日数分
遺族補償一時金（複数事業労働者）	支給したもののうち災害発生事業場における賃金額をもとに算定した額に相当する額（失権差額一時金を除く）
遺族補償一時金（複数事業労働者を除く）	支給したものの全額（失権差額一時金を除く）
傷病補償年金（複数事業労働者）	災害発生事業場における賃金額をもとに算定した額に相当する額をもとに療養開始後3年を経過する日の属する月の前月までの月分のものの額の合計額
傷病補償年金（複数事業労働者を除く）	療養開始後3年を経過する日の属する月の前月までの月分のものの額の合計額
葬祭料（複数事業労働者）	災害発生事業場における賃金額をもとに算定した額に相当する額をもとに算定した全額
葬祭料（複数事業労働者を除く）	支給したものの全額
介護補償給付	療養開始後3年を経過する日の属する月の前月までの月分のものの額の合計額

特別支給金	
特別支給金の種類	算入額
休業特別支給金	休業補償給付に準じた取扱い（療養開始から3年以内）
傷病特別支給金	業務災害について支給したものの全額
障害特別支給金	業務災害について支給したものの全額
遺族特別支給金	業務災害について支給したものの全額
障害特別年金	障害補償年金に準じた取扱い（労基法相当日数分）
障害特別一時金	障害補償一時金に準じた取扱い
遺族特別年金	遺族補償年金に準じた取扱い（労基法相当日数分）
遺族特別一時金	遺族補償一時金に準じた取扱い
傷病特別年金	傷病補償年金に準じた取扱い（療養補償から3年以内）

（令和2.8.21基発0821第1号）

2 継続事業のメリット制－労働者の安全又は衛生を確保するための措置

「労働者の安全又は衛生を確保するための措置」とは、次の措置をいう。

(1) 労働安全衛生法第70条の2第1項の指針〔事業場における労働者の健康保持増進のための指針（昭和63年公示1号）〕に従い事業主が講ずる労働者の健康の保持増進のための措置であって厚生労働大臣が定めるもの

(2) 労働安全衛生規則第61条の3第1項の規定による認定（快適な職場環境の形成のための措置の実施計画として適切である旨の都道府県労働局長の認定）を受けた同項に規定する計画（快適な職場環境の形成のための措置の実施計画）に従い事業主が講ずる措置

(3) その他、労働者の安全又は衛生を確保するための措置として厚生労働大臣が定めるもの（則20条の3）

第7章 労働保険料の負担、不服申立て及び時効等

1 端数処理

一般保険料の被保険者負担分に1円未満の端数がある場合（事業主と被保険者との間に端数処理に関する特約がある場合を除く。）には、次のように処理する。

(1) 事業主が、賃金から被保険者負担分を控除する場合においては、50銭以下の端数は切り捨て、50銭1厘以上1円未満の端数は1円に切り上げる（いわゆる「五捨六入」）。

(2) 被保険者が、被保険者負担分を事業主に現金で支払う場合においては、50銭未満の端数は切り捨て、50銭以上1円未満の端数は1円に切り上げる（いわゆる「四捨五入」）。（通貨の単位及び貨幣の発行等に関する法律3条1項）

2 時効の起算日

1．徴収金に係る時効の起算日は次の通りである。

(1) 申告納付制の労働保険料の場合は、労働保険料申告書の提出期限の翌日。ただし、当該申告書が提出期限内に提出されたときは、その提出された日の翌日。

(2) 賦課制の徴収金の場合は、賦課処分の効力発生日（納入告知書が事業主に到達した日）の翌日。

(3) 延滞金の場合は、元本保険料が完納された日の翌日。なお、元本保険料が納付されない場合の延滞金を徴収する権利の時効の起算日は、「元本保険料の起算日に従う」とされているので、(1)(2)に記した起算日となる。

（徴収関係事務取扱手引Ⅰ）

2．確定精算又は有期メリット適用に伴う還付金（精算返還金）に関する時効の起算日は次のとおりである。

(1) 継続事業における年度当初の確定精算による精算返還金は、6月1日。ただし、当該申告書が法定納期限内に提出されたときは、その提出された日の翌日。 R6-災10C

(2) 継続事業及び有期事業の廃止若しくは終了に伴う精算返還金は、事業の廃止又は終了の日の翌日。ただし、当該申告書が法定納期限内に提出されたときは、その提出された日の翌日。

R6-災10D

(3) 有期メリットの適用による確定保険料の引下げに伴う返還金は、改定確定保険料の通知のあった日の翌日。

（昭和55.6.5発労徴40号、平成21.2.27基発0227003号）

【例】継続事業における年度当初の確定精

算による精算返還金の請求権は、令和X1年７月15日（法定納期限より後）に確定保険料申告書を提出した場合は、６月１日から起算して２年で消滅するので、令和X3年５月31日の満了をもって消滅する。ただし、当該申告書を令和X1年７月１日（法定納期限内）に提出したときは、その提出された日の翌日から起算して２年で消滅するので、令和X3年７月１日の満了をもって消滅する。

3．過誤納金の返還請求権（2.に該当する場合を除く。）は、当該過誤納の事実のあった日の翌日から起算して５年で時効により消滅する。

（会計法30条、昭和47.11.24労徴発42号）

索　引

あ行

か行

さ行

た行

な行

は行

ま行

や行

ら行

条文索引

執　　筆：伊藤浩子（TAC教材開発講師）
編集補助：高橋比沙子（TAC専任講師、上級本科生担当）
　　　　　跡部大輔（TAC教材開発講師）

本書は、令和６年11月５日現在において、公布され、かつ、令和７年本試験受験案内が発表されるまでに施行されることが確定されているものに基づいて執筆しております。

なお、令和６年11月６日以降に法改正のあるもの、また法改正はなされているが施行規則等で未だ細目について定められていないものについては、下記ホームページにて順次公開いたします。

TAC出版書籍販売サイト「サイバーブックストア」
https://bookstore.tac-school.co.jp

2025年度版　よくわかる社労士　合格テキスト5　労働保険の保険料の徴収等に関する法律

（平成24年度版　2012年１月20日　初版　第１刷発行）
2024年12月２日　初　版　第１刷発行

編著者　ＴＡＣ株式会社
（社会保険労務士講座）
発行者　多田敏男
発行所　ＴＡＣ株式会社　出版事業部
（TAC出版）
〒101-8383 東京都千代田区神田三崎町3-2-18
電話　03(5276)9492(営業)
FAX　03(5276)9674
https://shuppan.tac-school.co.jp
印刷　株式会社　ワコー
製本　東京美術紙工協業組合

ISBN 978-4-300-11375-2
N.D.C. 364

乱丁・落丁による交換，および正誤のお問合せ対応は，該当書籍の改訂版刊行月末日までといたします。なお，交換につきましては，書籍の在庫状況等により，お受けできない場合もございます。
また，各種本試験の実施の延期，中止を理由とした本書の返品はお受けいたしません。返金もいたしかねますので，あらかじめご了承くださいますようお願い申し上げます。

社会保険労務士講座

2025年合格目標 開講コース

一般教育訓練給付制度
の指定コースがあります。
詳細は、TAC各校へお問い合わせください。

学習レベル・スタート時期にあわせて選べます!

初学者対象

順次開講中

まずは年金から着実に学習スタート!

総合本科生Basic(ベーシック)

初めて学ぶ方も無理なく合格レベルに到達できるコース
Basic講義で年金科目の基礎を理解した後は、労働基準法から
効率的に基礎力&答案作成力を身につけます。

初学者対象

順次開講中

Basic講義つきのプレミアムコース!

総合本科生Basic(ベーシック)+Plus(プラス)

大好評のプレミアムコース「総合本科生Plus」に、Basic講義が
ついたコースです。Basic講義から直前期のオプション講義ま
で豊富な内容で合格へ導きます。

初学者・受験経験者対象

2024年9月より順次開講

基礎知識から答案作成力まで一貫指導!

総 合 本 科 生

長年の指導ノウハウを凝縮した、TAC社労士講座のスタンダー
コースです。【基本講義 → 実力テスト → 本試験レベルの答練
と、効率よく学習を進めていきます。

初学者・受験経験者対象

2024年9月より順次開講

充実度プラスのプレミアムコース!

総合本科生Plus(プラス)

「総合本科生」を更に充実させたプレミアムコースです。「総合
本科生」のカリキュラムを詳細に補足する講義を加え、充実の
オプション講義で万全な学習態勢です。

受験経験者対象

2024年10月より順次開講

今まで身につけた知識を更にレベルアップ!

上 級 本 科 生

受験経験者(学習経験者)専用に独自開発したコース。受験経験
者専用のテキストを用いた講義と問題演習を繰り返すことに
よって、強固な基礎力に加え応用力を身につけていきます。

受験経験者対象

2024年11月より順次開講

インプット期から十分な演習量を実現!

上級演習本科生

コース専用に編集されたハイレベルな演習問題をインプッ
期から取り入れ、解説講義を行いながら知識を確認していく
とで、受験経験者の得点力を更に引き上げていきます。

初学者・受験経験者対象

2024年10月開講

合格に必要な知識を効率よくWebで学習!

スマートWeb(ウェブ)本科生

「スマートWeb」ならではの効率良いスマートな学習が可能な
コースです。テキストを持ち歩かなくても、隙間時間にスマ
一つで楽しく学習できます。

※上記コースは諸般の事情により、開講月が変更となる場合がございます。

詳細はTAC HPまたは2025年合格目標パンフレットにてご確認ください。

ライフスタイルに合わせて選べる3つの学習メディア

【通 学】 教室講座・ビデオブース講座　　【通 信】 Web通信講座

※「総合本科生」のみDVD通信講座もご用意しております。
※「スマートWeb本科生」はWeb通信講座のみの取り扱いとなります。

資格の学校 TAC

はじめる前に体験できる。だから安心! 無料体験入学

実際の講義を無料で体験! あなたの目で講義の質を実感してください。

申込み前に講座の第1回目の講義を無料で受講できます。講義内容や講師、雰囲気などを体験してください。
予約は不要です。開講日につきましては、TACホームページまたは講座パンフレットをご確認ください。
教室での生講義のほか、TAC各校舎のビデオブースでも体験できます。ビデオブースでの体験入学は事前の予約が必要です。詳細は各校舎にお問合わせください。

https://www.tac-school.co.jp/ → 社会保険労務士へ

まずはこちらへお越しください 無料公開セミナー・講座説明会

予約不要・参加無料　知りたい情報が満載!
参加者だけのうれしい特典あり

参加者に
入会金免除券
プレゼント!

専任講師によるテーマ別セミナーや、カリキュラムについて詳しくご案内する講座説明会を実施していま す。終了後は質問やご相談にお答えする「個別受講相談」を承っております。実施日程はTAC HPまたはパンフレットにてご案内しております。ぜひお気軽にご参加ください。

Web上でもセミナーが見られる! TAC動画チャンネル

セミナー・体験講義の映像など
役立つ情報をすべて無料で視聴できます。

テーマ別セミナー　●体験講義　等

https://www.tac-school.co.jp/ → TAC動画チャンネル へ

PCやスマホで快適に閲覧 デジタルパンフレット

紙と同じ内容のパンフレットをPCやスマートフォンで!
郵送も待たずに今すぐにご覧いただけます。

登録はこちらから

https://www.tac-school.co.jp/ → デジタルパンフ登録フォームに入力

コチラからもアクセス! ▶▶

資料請求・お問い合わせはこちらから!

電話でのお問い合わせ・資料請求　通話無料 0120-509-117（ゴウカク イイナ）
※携帯・自動車電話からもご利用いただけます。

【受付時間】
10:00〜19:00(月曜〜金曜)
10:00〜17:00(土曜・日曜・祝日)
※営業時間は変更の場合がございます。詳しくはTAC HPをご確認ください。

TACホームページからのご請求　https://www.tac-school.co.jp/

TAC出版 書籍のご案内

TAC出版では、資格の学校TAC各講座の定評ある執筆陣による資格試験の参考書をはじめ資格取得者の開業法や仕事術、実務書、ビジネス書、一般書などを発行しています！

TAC出版の書籍

＊一部書籍は、早稲田経営出版のブランドにて刊行しております。

資格・検定試験の受験対策書籍

- 日商簿記検定
- 建設業経理士
- 全経簿記上級
- 税　理　士
- 公認会計士
- 社会保険労務士
- 中小企業診断士
- 証券アナリスト
- ファイナンシャルプランナー(FP)
- 証券外務員
- 貸金業務取扱主任者
- 不動産鑑定士
- 宅地建物取引士
- 賃貸不動産経営管理士
- マンション管理士
- 管理業務主任者
- 司法書士
- 行政書士
- 司法試験
- 弁理士
- 公務員試験(大卒程度・高卒者
- 情報処理試験
- 介護福祉士
- ケアマネジャー
- 電験三種　ほか

実務書・ビジネス書

- 会計実務、税法、税務、経理
- 総務、労務、人事
- ビジネススキル、マナー、就職、自己啓発
- 資格取得者の開業法、仕事術、営業術

一般書・エンタメ書

- ファッション
- エッセイ、レシピ
- スポーツ
- 旅行ガイド（おとな旅プレミアム/旅コン）

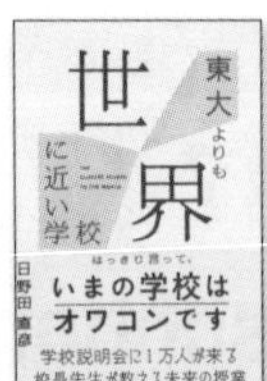

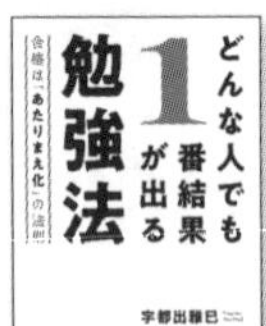

(2024年2月現在)

書籍のご購入は

1 全国の書店、大学生協、ネット書店で

2 TAC各校の書籍コーナーで

資格の学校TACの校舎は全国に展開!
校舎のご確認はホームページにて

資格の学校TAC ホームページ
https://www.tac-school.co.jp

3 TAC出版書籍販売サイトで

https://bookstore.tac-school.co.jp/

新刊情報をいち早くチェック!

たっぷり読める立ち読み機能

学習お役立ちの特設ページも充実!

TAC出版書籍販売サイト「サイバーブックストア」では、TAC出版および早稲田経営出版から刊行されている、すべての最新書籍をお取り扱いしています。
また、会員登録(無料)をしていただくことで、会員様限定キャンペーンのほか、送料無料サービス、メールマガジン配信サービス、マイページのご利用など、うれしい特典がたくさん受けられます。

サイバーブックストア会員は、特典がいっぱい!(一部抜粋)

通常、1万円(税込)未満のご注文につきましては、送料・手数料として500円(全国一律・税込)頂戴しておりますが、1冊から無料となります。

専用の「マイページ」は、「購入履歴・配送状況の確認」のほか、「ほしいものリスト」や「マイフォルダ」など、便利な機能が満載です。

メールマガジンでは、キャンペーンやおすすめ書籍、新刊情報のほか、「電子ブック版TACNEWS(ダイジェスト版)」をお届けします。

書籍の発売を、販売開始当日にメールにてお知らせします。これなら買い忘れの心配もありません。

2025年度版 社労士試験対策書籍のご案内

TAC出版では、独学用、およびスクール学習の副教材として、各種対策書籍を取り揃えています。
学習の各段階に対応していますので、あなたのステップに応じて、合格に向けてご活用ください!

(刊行内容、発売月、表紙は変更になることがあります。

みんなが欲しかった! シリーズ

わかりやすさ、学習しやすさに徹底的にこだわった、TAC出版イチオシのシリーズ。
大人気の『社労士の教科書』をはじめ、合格に必要な書籍を網羅的に取り揃えていま

『みんなが欲しかった!
社労士合格へのはじめの一歩』
A5判、8月　貫場 恵子 著
- 初学者のための超入門テキスト!
- 概要をしっかりつかむことができる入門講義で、学習効率ぐーんとアップ!
- フルカラーの巻頭漫画とスタートアップ講座は必見!

『みんなが欲しかった!
社労士の教科書』
A5判、10月
- 資格の学校TACが独学者・初学者専用に開発! フルカラーで圧倒的にわかりやすいテキストです。
- 2冊に分解OK! セパレートBOOK形式。
- 便利な赤シートつき!

『みんなが欲しかった!
社労士の問題集』
A5判、10月
- この1冊でイッキに合格レベルに! 本試験形式の択一式&選択式の過去問、予想問を必要な分だけ収載。
- 『社労士の教科書』に完全準拠。

『みんなが欲しかった!
社労士合格のツボ 選択対策』
B6判、11月
- 基本事項のマスターにも最適! 本試験のツボをおさえた選択式問題厳選333問!!
- 赤シートつきでパパッと対策可能!

『みんなが欲しかった!
社労士合格のツボ 択一対策』
B6判、11月
- 択一の得点アップに効く1冊! 本試験のツボをおさえた一問一答問題厳選1600問!! 基本と応用の2step式で、効率よく学習できる!

『みんなが欲しかった!
社労士全科目横断総まとめ』
B6判、12月
- 各科目間の共通・類似事項をこの1冊で整
- 赤シート対応で、まとめて覚えられるから効

『みんなが欲しかった! 社労士の
年度別過去問題集　5年分』
A5判、12月
- 年度別にまとめられた5年分の過去問で知識を総仕上げ!
- 問題、解説冊子は取り外しOKのセパレートタイプ!

『みんなが欲しかった!
社労士の直前予想模試』
B5判、4月
- みんなが欲しかったシリーズの総仕上げ模試!
- 基本事項を中心とした模試で知識を一気に仕上げます!

書籍の正誤に関するご確認とお問合せについて

書籍の記載内容に誤りではないかと思われる箇所がございましたら、以下の手順にてご確認とお問合せをしてくださいますよう、お願い申し上げます。
なお、正誤のお問合せ以外の**書籍内容に関する解説および受験指導などは、一切行っておりません。**
そのようなお問合せにつきましては、お答えいたしかねますので、あらかじめご了承ください。

1 「Cyber Book Store」にて正誤表を確認する

TAC出版書籍販売サイト「Cyber Book Store」のトップページ内「正誤表」コーナーにて、正誤表をご確認ください。

CYBER TAC出版書籍販売サイト BOOK STORE

URL:https://bookstore.tac-school.co.jp/

2 1の正誤表がない、あるいは正誤表に該当箇所の記載がない ⇒ 下記①、②のどちらかの方法で文書にて問合せをする

★ご注意ください★

お電話でのお問合せは、お受けいたしません。
①、②のどちらの方法でも、お問合せの際には、「お名前」とともに、
「対象の書籍名(○級・第○回対策も含む)およびその版数(第○版・○○年度版など)」
「お問合せ該当箇所の頁数と行数」
「誤りと思われる記載」
「正しいとお考えになる記載とその根拠」
を明記してください。
なお、回答までに1週間前後を要する場合もございます。あらかじめご了承ください。

① ウェブページ「Cyber Book Store」内の「お問合せフォーム」より問合せをする

【お問合せフォームアドレス】

https://bookstore.tac-school.co.jp/inquiry/

② メールにより問合せをする

【メール宛先　TAC出版】

syuppan-h@tac-school.co.jp

※土日祝日はお問合せ対応をおこなっておりません。
※正誤のお問合せ対応は、該当書籍の改訂版刊行月末日までといたします。

乱丁・落丁による交換は、該当書籍の改訂版刊行月末日までといたします。なお、書籍の在庫状況等により、お受けできない場合もございます。
また、各種本試験の実施の延期、中止を理由とした本書の返品はお受けいたしません。返金もいたしかねますので、あらかじめご了承くださいますようお願い申し上げます。

TACにおける個人情報の取り扱いについて
■お預かりした個人情報は、TAC(株)で管理させていただき、お問合せへの対応、当社の記録保管にのみ利用いたします。お客様の同意なしに業務委託先以外の第三者に開示、提供することはございません(法令等により開示を求められた場合を除く)。その他、個人情報保護管理者、お預かりした個人情報の開示等及びTAC(株)への個人情報の提供の任意性については、当社ホームページ(https://www.tac-school.co.jp)をご覧いただくか、個人情報に関するお問い合わせ窓口(E-mail:privacy@tac-school.co.jp)までお問合せください。

(2022年7月現在)